U0270414

N文库

花与昆虫的伪装记

[日]田中肇/著
[日]正者章子/绘
朱悦玮/译

贵州出版集团
贵州人民出版社

著作权合同登记号 图字：22-2024-134 号

图书在版编目（CIP）数据

花与昆虫的伪装记 /（日）田中肇著；（日）正者章子绘；朱悦玮译. -- 贵阳：贵州人民出版社，2025. 1. -- (N 文库). -- ISBN 978-7-221-18783-3

Ⅰ. Q944.58-49；Q96-49

中国国家版本馆 CIP 数据核字第 2024SF8317 号

HUAYUKUNCHONG DE WEIZHUANGJI
花与昆虫的伪装记
[日] 田中肇 / 著
[日] 正者章子 / 绘
朱悦玮 / 译

选题策划 轻读文库　　出 版 人 朱文迅
责任编辑 徐楚韵　　特约编辑 姜 文

出　　版 贵州出版集团 贵州人民出版社
地　　址 贵州省贵阳市观山湖区会展东路 SOHO 办公区 A 座
发　　行 轻读文化传媒（北京）有限公司
印　　刷 天津联城印刷有限公司
版　　次 2025 年 1 月第 1 版
印　　次 2025 年 1 月第 1 次印刷
开　　本 730 毫米 × 940 毫米 1/32
印　　张 7.875
字　　数 140 千字
书　　号 ISBN 978-7-221-18783-3
定　　价 35.00 元

目录

前言 花朵们的策略

清爽的微风吹过一望无际的花田，远处传来鸟儿的鸣叫。高原上镶嵌着白色、黄色、紫色的花朵，蝴蝶和花蜂在花丛中翩翩起舞。

一群女孩走了过来，看到美丽的花朵不禁感叹“好美呀”“这朵花真可爱”。但她们不知道的是，在这看起来一片祥和的美景背后，隐藏着花朵们不为人知的策略。

人类认为花朵与昆虫之间存在着“花粉的媒介”和“共生”的关系，其中包含着人类“给予和索取”“互相帮助”的思想。但实际上这只是人类的一厢情愿而已，花朵与昆虫之间并没有这种互相帮助的约定。花朵盛开只是为了自身的繁衍，昆虫也只是为了满足食欲才去吸食花蜜的。因此，花朵与昆虫之间有时候甚至还会出现利益冲突。花朵和昆虫都只是为了自身的利益，单方面地索取和掠夺。

有些植物为了避免与昆虫发生冲突，选择与风做朋友，还有的植物甚至能够凭借自己的力量将花粉运送到雌蕊上。

现在，就让我们一起走进花朵的世界，看一看隐藏在美艳外表之下的花朵们的生存策略吧。

在日本，有五千种以上能够开花的植物。而我们目前了解的只有八百种左右。剩余的四千余种都是充满了未知的神奇宝库。因为在书本上看到的都是已知的内容，所以很容易使人产生我们已经解开大自然全部谜团的错觉，但实际上大自然中隐藏着的花朵们的秘密策略的数量，是书上记载内容的十倍、二十倍甚至更多。这也意味着，还有许多未知的花朵的策略在等待着我们去发现，每个人都有机会成为第一个发现的人。

本书尽可能用通俗易懂的语言，为大家介绍花朵的世界以及发生在其中的故事。希望能够通过简洁的文字与生动的插图，将大家带进生机盎然的花朵世界。

田中肇

Chapter 01 蝴蝶是花朵的伙伴吗?

T字作战：卡萨布兰卡

曾经有一位年轻的植物学家对我说，他询问未婚妻喜欢什么花，对方回答“卡萨布兰卡”。但这位植物学家没听说过这种花，结果遭到未婚妻的无情蔑视。

卡萨布兰卡是百合的园艺品种之一，别名香水百合，特点是拥有巨大的纯白色花瓣。或许他的未婚妻就是喜欢卡萨布兰卡那一尘不染的纯洁和华丽绽放的姿态吧。但我脑中却出现了一个疑问，那就是每次去花店看到价格昂贵的卡萨布兰卡，花朵上不知为何都没有雄蕊。直到有一天，我在收音机中听到了这个问题的答案。原来是店员特意将雄蕊给摘掉了。因为卡萨布兰卡的雄蕊上有许多红褐色的花粉，很容易将衣服和随身物品弄脏。

如果在花店购买含苞待放的卡萨布兰卡，回家放进花瓶里等它开放，就会看到红褐色的雄蕊。在将雄蕊摘掉之前，我希望大家先仔细地观察一下它的形状。不仅卡萨布兰卡，生长在野外的山百合与柠檬色百合也和卡萨布兰卡一样，雄蕊都有长长的花丝，前端是红褐色的花药（花粉袋）。白色的花丝在前端迅速变窄，与花药的中间部分相连，看起来就像大写的英文字母“T”一样，稍微碰触一下就会摇晃起来。

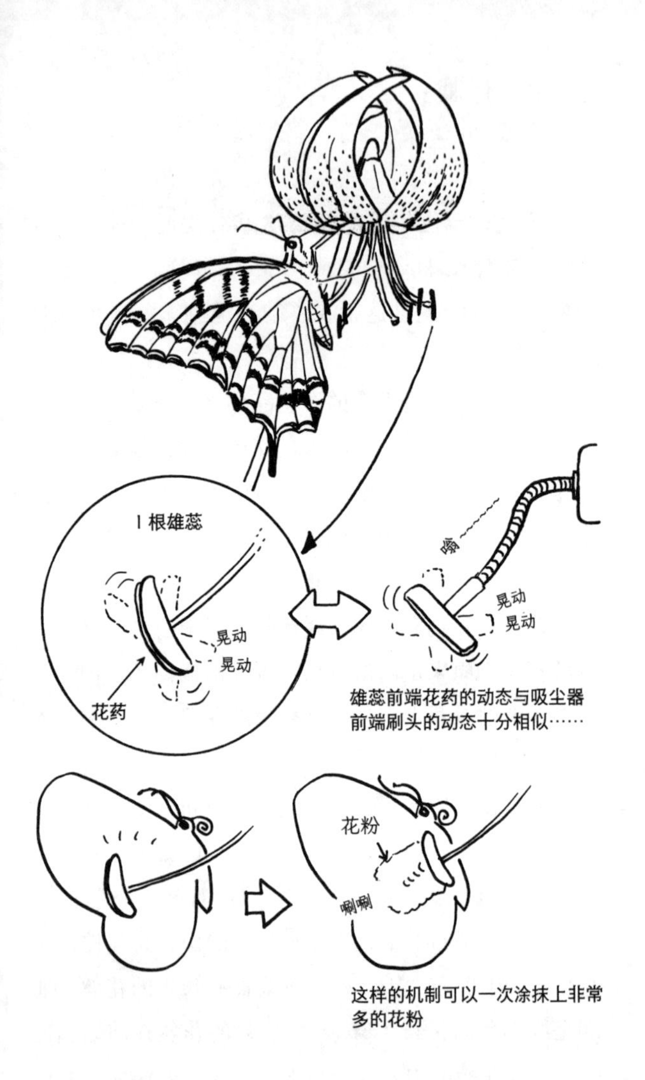

★………百合与蝴蝶（上）　雄蕊的运作机制（下）

我在演讲的时候经常一边播放百合花的幻灯片一边指着雄蕊的部分提问:“雄蕊呈‘T’字形。花药与纤细的花丝相连，活动起来十分灵活。日常生活中也有一个运作机制十分相似的东西，大家知道是什么吗？”听众们一边看着幻灯片，一边思考有什么东西与雄蕊的运作机制相同，但很少有人能够说出答案。

当我说出正确答案是“吸尘器”的时候，底下就会传来一片恍然大悟的声音。吸尘器的吸入口与长柄相连也呈“T”字形，活动起来十分灵活。当我们将吸尘器的吸入口放在地面或者榻榻米上的时候，它就会“啪”的一下与平面贴合在一起。百合花的雄蕊也遵循同样的原理。花药贴合的平面就是蝴蝶的翅膀。

如果你用手抓过蝴蝶的翅膀，就会发现上面有一层鳞粉。如果在显微镜下观察这些鳞粉，会发现它们的形状好像樱花的花瓣。这些鳞粉像瓦片一样重叠在一起，覆盖蝴蝶的整个翅膀，起到防水和防尘的作用。

所以鳞粉也能防止对蝴蝶毫无用处的花粉沾到它们的翅膀上。但如果无法将花粉沾到蝴蝶身上，花朵提供花蜜引诱蝴蝶来吸食就失去了意义。“T”字形的雄蕊完美地解决了这个问题，当蝴蝶落在花朵上吸食花蜜时，位于雄蕊前端的花药就会紧密地贴合在蝴蝶的翅膀上，将大量的花粉涂抹上去。与其他植物的花粉相比，百合的花粉附着力更强，强过了鳞粉的防尘能力。这样一来，当蝴蝶为了吸食花蜜，从一朵花飞到另一朵花的时候，翅膀上的花粉就会被带到其他花朵的雌蕊上。

正因为百合花的雄蕊的构造和花粉的特性，容易在衣服和随身物品上留下污渍，再加上花粉的黏性很大，所以花店的店员才会将雄蕊摘掉。而将红褐色的雄蕊摘掉之后，卡萨布兰卡白色的花朵也显得更加纯洁了。

花粉的项链策略：山杜鹃（一）

每到旅游黄金周，车站旁边的公告牌上就会出现杜鹃花染红整座山的宣传海报。

1978年5月，我前往埼玉县的丘陵地带调查杜鹃花与昆虫的生态。我找了一个舒适的场所安营扎寨，记录吸食山杜鹃花蜜的昆虫种类以及它们停留在花朵上的次数和行为。观察时，如果有昆虫飞来，因为要认真记录，所以时间不知不觉地就过去了，但没有昆虫飞来时的等待就非常难熬。尤其是到了傍晚时分，昆虫们的活动明显减少，我就只能静静地坐在一旁欣赏花朵。通过整整一天（从上午9点半一直到下午5点）的观察，我发现凤蝶是非常重要的花粉搬运工。

山杜鹃的花粉不像百合的花粉那样有黏性。那么

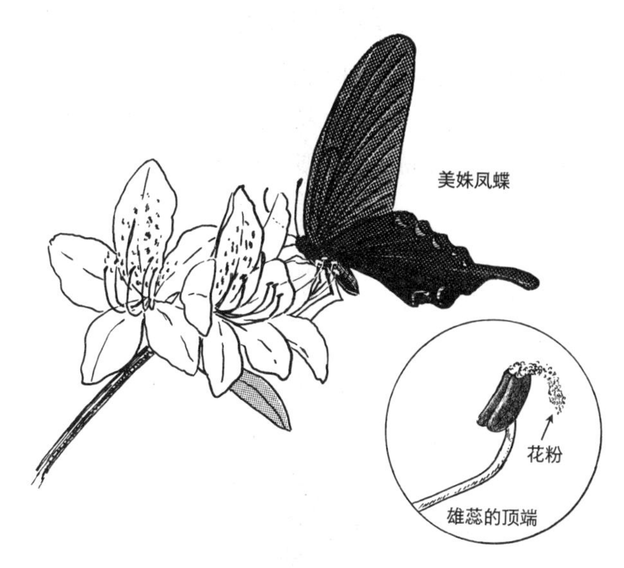

★………山杜鹃的花朵与项链一样的花粉（圆圈内）

山杜鹃是如何运送花粉的呢?

山杜鹃有5根雄蕊，在雄蕊的前端有2个并排的褐色花粉囊。花粉囊是敞口的，能够从开口处看到里面白色的花粉。如果用尖头镊子尝试夹出花粉，能夹出的花粉比想象中要多得多。用放大镜观察，可以发现这些白色的花粉颗粒都由像丝线一样的东西连在一起。这些丝线是从花粉中伸出来的，叫黏结丝。因为黏结丝相互缠绕在一起，所以只要稍微捏合，花粉颗粒就会连接成“珍珠项链”。

那么，这条花粉编成的“项链”又是怎么和蝴蝶联系在一起的呢？这其中也隐藏着花朵的策略。简单来说，就是当蝴蝶吸食花蜜的时候，只要身体的任何部分沾上一点花粉，就能够将雄蕊中的花粉全都带出去。

蝴蝶的长嘴巴

为了突破蝴蝶的鳞粉防御网，百合花的策略是“T”字形的雄蕊，山杜鹃的策略则是连接在一起的花粉。但蝴蝶也有自己的武器，那就是像吸管一样又细又长的嘴巴。对蝴蝶来说，细长的嘴巴可以穿过花朵的缝隙来吸食花蜜，非常方便。但从花朵的角度来看，这完全是窃取花蜜的小偷工具，钻了雄蕊和雌蕊之间的漏洞。

不过，山杜鹃也有应对的办法。它的5片花瓣呈喇叭形展开，昆虫无法在上面停留。蝴蝶来吸食花蜜的时候，只能轻轻地踩在不稳定的雄蕊和雌蕊上，还要时不时地扇动翅膀保持平衡。这个时候，白色的花粉就有机会附着在蝴蝶的腿和翅膀上。

曾经有一位儿童杂志的编辑问我：“杜鹃花的花蜜在什么地方？”因为我看到过一张蝴蝶将长长的嘴巴穿过雄蕊和雌蕊一直伸到花朵底部的图片，所以就回答：“在花朵的底部。”但后来我才发现自己错了。

在杜鹃花漏斗形的花瓣背面，有一条很粗壮的脉络。如果将花瓣横向切开，就会发现这条脉络其实是花瓣左、右两边形成的管道，呈 Ω 形组合在一起。管道的底部有一个鼓包，花蜜就在鼓包里面。蝴蝶需要通过长长的管道才能吸食到位于底部的花蜜。从花瓣的正面来看，能看到一个“Y”字形的褶皱，而管道的入口就位于“Y”字形三条线的交叉点。当蝴蝶吸食管道底部的花蜜时，就必须停在花瓣上，身体一定会碰触到雄蕊和雌蕊。

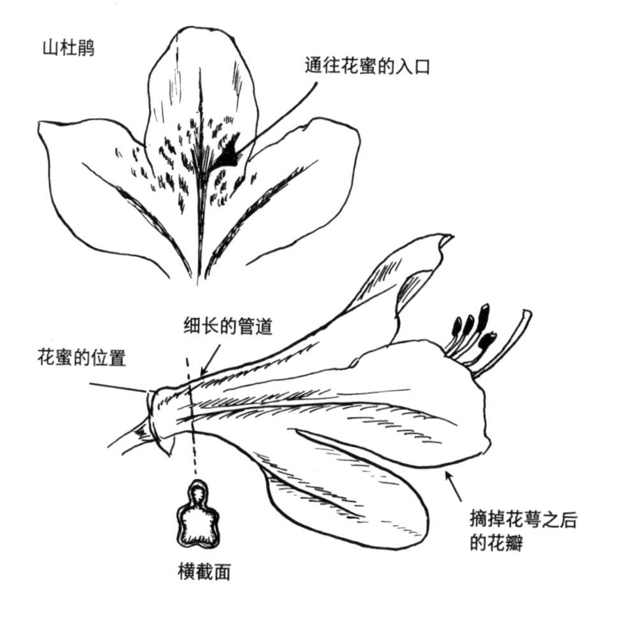

★………山杜鹃花的结构

欢迎蝴蝶、拒绝花蜂：山杜鹃（二）

通过观察花朵可以发现，搬运山杜鹃花粉的主力是凤蝶，但在这个事实的背后还隐藏着其他信息。

山杜鹃的花瓣呈红色，正好是凤蝶最喜欢的颜色。而且通往花蜜的管道口所在的“Y”字形褶皱的周围还有许多深红色的斑点，简直就像是引导凤蝶去吸食花蜜的告示牌。虽然从管道的入口到储存花蜜的地方有10毫米到16毫米的距离，但对凤蝶来说长度刚好。

凤蝶还有一个特性，那就是在相邻的几朵花之间

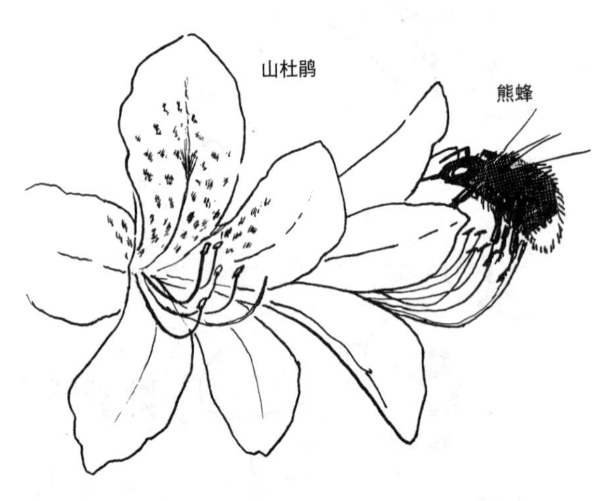

★………熊蜂不受山杜鹃的欢迎吗？

吸食花蜜之后，会飞到远处，停在其他植株上。这样一来，凤蝶就能够将山杜鹃的花粉带到其他的植株上，让绽放的山杜鹃接触其他植株的花粉。

另外，身上长着可爱绒毛的熊蜂也喜欢吸食山杜鹃的花蜜。不过熊蜂的习性对山杜鹃来说却不那么友好。熊蜂喜欢在同一种植株上集中吸食花蜜，吸完一朵又一朵，像劳动模范一样兢兢业业，但它们不会转移到其他种类的植株上。它们需要大量的花蜜来养育后代，所以在采蜜时追求效率。但对山杜鹃来说，这样的行为会导致近亲繁殖，因为花粉无法传播到其他种类的植株上，只会落到同种植株的雌蕊上。

仔细观察你会发现，山杜鹃将花蜜藏在细长的管道深处，使下部的花瓣呈弯曲状，让熊蜂没地方落脚，还把花瓣的颜色变成熊蜂难以辨识的红色，等等。可以说是想尽办法阻止熊蜂。

花朵的动态策略：野蓟

我在开始调查花朵的生态时，发现了野蓟这种有趣的植物。其实这种花随处可见，我也不是第一次见到了，但从生态研究角度的观察还是第一次。

我仔细地闻了闻花朵的味道，又用放大镜观察了花朵的形态。当我用镊子的前端碰触到野蓟的雄蕊时，发现雄蕊的顶部动了一下，同时喷出了白色的花粉。

野蓟的雄蕊呈圆筒形，当受到外界刺激时，圆筒的顶部就会一边绕圈旋转一边喷出花粉。我尝试着施加刺激，发现在雄蕊受到刺激的几秒内，支撑圆筒的5根花柄就会向下收缩1毫米左右，同时圆筒顶部喷出花粉。

解剖花蕾后发现，野蓟的花粉位于雄蕊的圆筒之中，雌蕊的前端则从这个圆筒中间穿过。雌蕊的内部有一个小小的球形刷头，当雄蕊受到刺激时，雄蕊的圆筒就会向下收缩，但从圆筒中间穿过的雌蕊并不会改变长度，于是球形刷头就会将圆筒里的花粉顶出去。

野蓟的花朵由100余朵这样的小花组成，所以看上去就好像花朵上竖起许多长约1厘米的细柱。每一根细柱都对应一朵小花，下方连接着筒状的花瓣，花蜜就存储在这里面。

凤蝶会来吸食其中的花蜜。当凤蝶吸食花蜜时，身体碰触到位于细柱前端的雄蕊和雌蕊，就会自然而然地传播花粉。由于花蜜位于细长圆筒的内部，蝴蝶必须弯着身子将嘴巴伸入其中。这样一来身体必然会与雄蕊和雌蕊发生接触。而对外界的碰触刺激会做出反应的雄蕊，在与蝴蝶的身体发生接触时就会喷出花粉，保证让花粉沾在蝴蝶身上。

★………野蓟花与凤蝶

以我的性格，发现这么有趣的事情肯定不能自己憋着。于是我写了一篇图文并茂的文章，投稿给接受业余爱好者投稿的生物学相关杂志《采集与饲育》，并顺利发表。

从那以后，书籍和杂志中提到植物时采用的示例就发生了变化。一直以来，书籍和杂志中提到雄蕊通过行动来传播花粉的机制时所使用的示例都是矢车菊，后来就变成了野蓟。可能因为矢车菊原本是欧美国家的常用示例，日本只不过是完全照搬过来的，再加上因为野蓟的动态更加生动吧。

后来有一次，我在自然观察会上介绍了野蓟会喷出花粉这件事。然后我让大家亲自通过实验来感受一下，但有一位参加者说："没有喷出花粉。"

野蓟在两种情况下可能不会喷出花粉。第一种是在傍晚时分，可能因为白天有蝴蝶和花蜂来采集花蜜，花粉在那个时候都喷空了。还有一种是在野蓟花刚开的时候，雄蕊会大量喷出花粉，然后连续两天都不会再喷出花粉，而是保持雌蕊接受花粉的状态。在以上两种情况下，野蓟花即便受到刺激也不会喷出花粉。

因为当时是上午，所以我认为这位参加者可能不会分辨雄蕊和雌蕊，选择了雌蕊正在接受花粉的花朵。于是我挑了一个雄蕊准备喷出花粉的花朵让这位参加者重新做一次实验。结果我发现她像抚摩小孩的

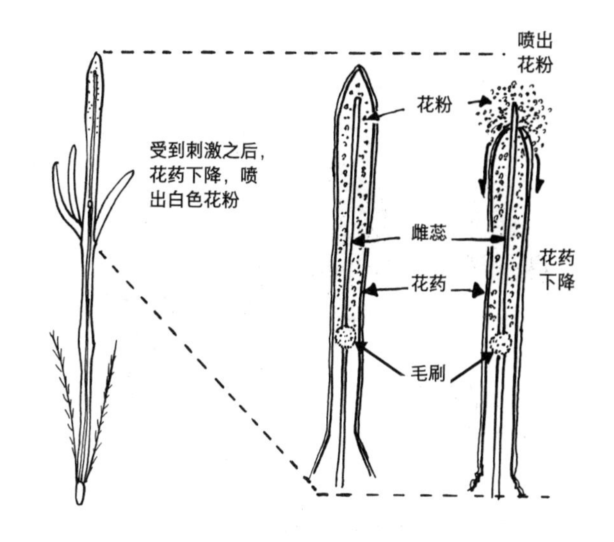

★………野蓟喷出花粉的机制

头一样，手指并排抚摩了整个花朵。原来如此！

我在介绍实验方法的时候，没有特别强调抚摩的力度。实验的对象是很小的野花，来吸食花蜜的则是小小的昆虫。大家对它们的重量应该有一定的认知吧。

为了撰写本书，我特意抓了几只黑凤蝶测量了它们的体重。因为我的本职工作是制作贵金属首饰，所以我有用来称量钻石和宝石的克拉秤。于是我将蝴蝶放到克拉秤上称量，发现这只蝴蝶的重量是2.76克拉。因为1克拉等于0.2克，换算过来就是大约0.55克。两只蝴蝶的重量加起来比100日元的硬币重一点。

★………天平上的黑凤蝶和100日元硬币

我称量的是翅膀展开长度在10厘米以上的黑凤蝶。所以当我们对花朵施加刺激的时候，也要考虑到蝴蝶的重量，轻轻地施加刺激。

我虽然身材比较消瘦，但体重仍然是黑凤蝶的10万倍。那么应该如何对野蓟轻轻地施加刺激呢？答案是用生长在野蓟周围的芒草和狗尾草等植物的叶片的前端去碰触野蓟的雄蕊，这样就不会用力过大。

从雄蕊喷出花粉的机制并非野蓟独有，大蓟类基本都有这种特性，大家如果遇到的话不妨顺便做一下实验。只要多做几次就能领悟到对雄蕊施加刺激时的力度大小应当是多少。

在大苞萱草的发现中屈居第二

当昆虫来花朵上采集花蜜时，如果不碰触雄蕊和雌蕊，只是采集花蜜，那就起不到传递花粉的作用。

我曾经在群马县的赤城山观察过大苞萱草。大苞萱草的花朵有巨大的橘红色花瓣，呈喇叭形，雄蕊和雌蕊向外伸出。前来吸食花蜜的昆虫主要有绿带翠凤蝶、宽边赭弄蝶等蝴蝶，以及虎花蜂。

以上这些昆虫都必然会碰触到雄蕊，成为花粉的搬运工。

但它们一定会碰触到雌蕊吗？通过细致入微的观察，我发现虎花蜂碰触到雌蕊的概率是31%，宽边赭弄蝶碰触到雌蕊的概率只有21%。而拥有巨大翅膀的绿带翠凤蝶会落在花瓣上，一边扇动翅膀一边吸食花蜜，翅膀会反复多次碰触到雌蕊。

通过这个观察可以得知，对大苞萱草来说，绿带翠凤蝶是能够百分之百将花粉从雄蕊带到雌蕊的重要搬运工。

1994年到1997年，日本开展了每15年一次的尾濑综合学术调查，我也因此获得了调查花朵生态的机会。

当时，为了调查在尾濑赫赫有名的大苞萱草的花朵究竟能开几天，我在傍晚时分前往湿地，给即将绽放的花蕾编号，跟踪它们的开花情况。大苞萱草的花朵在第二天早晨6点半左右开始绽放，到9点左右完全盛开，接着就保持着盛开的状态一直到第二天的早晨。然后到第二天的下午逐渐收缩，到傍晚彻底闭合。

植物图鉴上对萱草属花朵的介绍是“早晨开花，傍晚闭合的一日花”，但我观察到了持续绽放两天的花朵，这是全新的发现！遗憾的是，野原精一先生在当年的《国立环境研究所研究报告》中就已经报告了“一部分图鉴记载萱草是一日花，实际上萱草开花两天”这一事实。野原先生设置了照相机，用定时拍摄功能自动记录了花朵开放的整个过程。很遗憾，我比野原先生晚了一步，只能在《尾濑综合研究》（尾濑综合学术调查团）的调查报告上写下“确认了萱草确实开花两天”。

尽管我也是单独发现了萱草开花两天的事实，但根据科学规则只能屈居第二。

★………大苞萱草花田与绿带翠凤蝶

Chapter 02 黑夜中的智斗

与山杜鹃同样的策略：黄花月见草

有一些花在夜晚开放。我为了调查这些花朵和与之相关的昆虫的生态，会在夜里去记录并拍摄照片。但有时候当我第二天再去同样的地方想继续调查时，却发现那一片花丛全都被铲掉了，这样的情况我遇到过两次。这两个地方都是在住宅区附近。可能是住在附近的人发现有个男人半夜鬼鬼祟祟地躲在花丛里不断地亮起闪光灯，所以把可疑分子用来藏身的花丛给铲掉了吧。

黄花月见草一般在日落之后20分钟左右开始依次绽放，其绽放时的姿态十分优美，还会发出悦耳的“声音”。黄花月见草的花蕾像雨伞一样拧在一起，相互重叠的四片黄色花瓣会在几秒钟的时间内迅速展开。因为花瓣展开的速度非常快，所以会因为相互之间的摩擦发出“唰唰”的声音。当我对电视台的工作人员说起这件事的时候，外景主持人因为距离花朵比较近，所以也听到了开花时的声音。而摄像师则因为受到摄像机运转声音的影响而没有听到，感到非常懊恼。

黄花月见草在开花后就会散发出浓郁的香味，吸引天蛾前来吸食花蜜。即便在夜里，也能隐约看到在花前晃动的黑影。如果在远处用手电筒照射，就可以

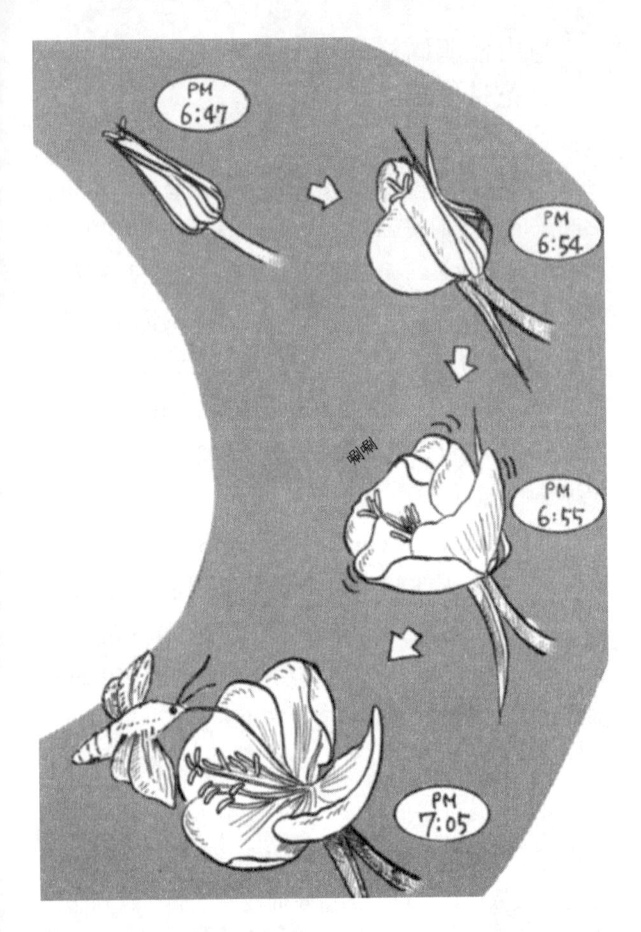

★………黄花月见草开花时的样子

清楚地看到天蛾的活动状态。

天蛾能够通过扇动翅膀让自己的身体悬停在空中，然后用长长的嘴巴吸食位于花朵中心的花蜜。大约悬停3秒之后，天蛾会离开当前的花朵，前往其他的花朵继续吸食。这样的行为会断断续续地持续2个小时左右。晚上9点之后，天蛾就基本不再出现，再次出现是第二天的日出前，黎明前最黑暗的时刻。这个时候的天蛾非常怕光，用手电筒稍微照射一下就会把它们吓跑，并且再也不会出现。

天蛾属于大型蛾，在分类上与蝴蝶同属于鳞翅目。天蛾的翅膀上也覆盖着鳞粉，也有细长的嘴巴。虽然黄花月见草在夜晚招来的是天蛾，但也采用了和对待蝴蝶一样的方法来传播花粉。比如，花蜜藏在细长的圆筒深处，雄蕊和雌蕊向前长长地伸出。更令人惊讶的是，黄花月见草的花粉与山杜鹃的一样，通过黏结丝连在一起。

黄花月见草与山杜鹃属于亲缘关系非常远的植物，但在针对鳞翅目的搬运策略上，却利用了几乎完全相同的原理。

王瓜的蕾丝标识战术

王瓜是城市中十分常见的绿化植物，白色蕾丝状的花朵给夏季的夜晚增添了美丽的点缀。只不过王瓜一般在天黑之后才开花，所以因为天色已晚而急着回家的人往往都注意不到。

王瓜花朵的中心是星形的白色花瓣，在花瓣的边缘伸出好几根白色的细线，仿佛一个直径长达8厘米的蕾丝杯垫。因为蕾丝镂空的部分看起来也好像花朵的一部分，所以王瓜的花朵就通过这样的方式用少量的资源成功营造出了巨大花朵的效果。而且由于蕾丝镂空的部分会呈现灰色，使得位于中间的白色星形花瓣更加显眼，拥有更高的辨识度。

王瓜花花粉的主要搬运工也是天蛾。天蛾会悬停在花朵跟前将长长的嘴巴伸进花朵中吸食花蜜。因为储存花蜜的圆筒非常深，天蛾必须将长长的嘴巴全部伸进去才能吸到花蜜。而这个时候，天蛾的嘴巴就必然会碰触到位于圆筒入口处的雄蕊和雌蕊的前端，成为花粉的搬运工。

天蛾的身体一般和人类的小拇指差不多大小，长度在3厘米左右。要想让这么庞大的身体飞起来，必须非常用力地扇动翅膀才行。因此，天蛾在起飞之前会先振动翅膀做准备运动，在扇动翅膀的时候肌肉的温度也会上升，据说飞行中的天蛾胸部的温度会达到38℃以上。这个温度相当高，即便在夏季捕捉到正在飞行的天蛾，也能够通过指尖感觉到温热。因为天蛾飞行需要消耗大量的能量，而王瓜花能够提供相应的花蜜来补充能量，所以天蛾很喜欢王瓜花，自然就成

★·········王瓜花和天蛾

了王瓜花花粉的重要搬运工。

还有一种与王瓜十分相似的植物，叫作栝楼，是日本铁路线两旁常见的植物。我和立教大学的多田多惠子老师相约一起观察这种花朵。我比约定的时间早到了一些，于是将自行车停在路旁，一边观察一边等待。结果有一位年轻的女性，手里紧紧捏着防暴报警器的拉绳，在我身边快步走过。在观察夜晚开放的花朵时，难免会被别人当成可疑分子。

当多田老师带着相机与我会合之后，终于可以光明正大地进行观察活动而不会被当成可疑分子了。但奇怪的是，在我们面前有两三百朵盛开的栝楼，却没看到一只昆虫前来采蜜。等了许久，只看到唯一的一只非常小的蛾子飞了过来，但从它的身材来看根本无法充当花粉的搬运工。栝楼花从前一天晚上一直开到第二天的中午，所以也可能是依靠白天活动的昆虫来传播花粉的，或者是我们那天晚上的运气太差，一只昆虫也没见到。不过秋天我又路过那个地方的时候，倒是看到那片栝楼上结出了黄色的果实。

性别转换的光叶海州常山花

1999年夏天，日本出现了国内第一例人类性别转换手术。人类的话，即便进行了性别转换手术，但男性转变为女性之后仍然没有怀孕和生产的能力。不过在植物的世界中，性别转换可以说是十分稀松平常的事情，而且植物在性别转换之后还能拥有完整的性功能。

光叶海州常山的花朵就能够进行性别转换。光叶海州常山又名臭梧桐，因为它的叶子被用力揉搓后就会发出恶臭气味。不过它的花朵和叶子不同，能够散发出与山百合十分相似的浓厚香气，传递出夏季到来的信号。

刚刚绽放的光叶海州常山花会向前方伸出四根雄蕊，仿佛在说“快来帮我传播花粉吧”。在这个时候，雌蕊则会向下弯曲，不接受花粉，只让雄蕊发挥机能。到了第二天，雄蕊和雌蕊就会交换位置。雌蕊笔直地向前方伸出，摆出接受花粉的姿势。而雄蕊则弯曲起来，让昆虫接触不到花粉。此时的花朵就转变为了雌性。

我曾经对这种花朵的性别变化和到访昆虫的种类以及行动等进行了长期的细致观察。1972年8月，我在离家不远的小森林里观察光叶海州常山，经常一观察就是一整天。当时还在上小学的孩子们中午还会给我来送午饭，真是令人怀念。现在那片森林都已经变成住宅区了。

不论白天还是晚上，天蛾科的几种蛾子都会来吸食光叶海州常山的花蜜。白天的时候褐色的青背长喙天蛾和透明翅膀绿色身体的咖啡透翅天蛾比较多。除

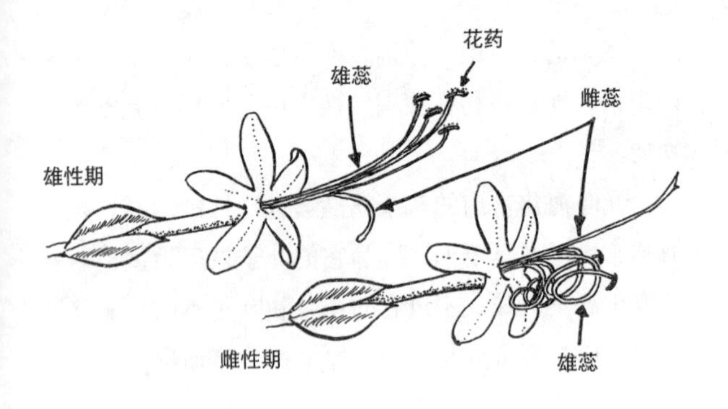

★………光叶海州常山花朵的性别转换

了上述天蛾类之外，金凤蝶、黑凤蝶等大型蝴蝶也会来吸食花蜜。到了傍晚时分，来吸食花蜜的天蛾类就会换成黑长喙天蛾和波斑长喙天蛾，天黑后出现的是略带些红色的雀斜纹天蛾。

凤蝶会轻轻地落在花朵上，天蛾则是像直升机一样悬停在花朵前方，伸出长长的嘴巴吸食花蜜。在这个时候，天蛾的腹部就会接触到雄蕊前端的紫色花粉，当天蛾带着这些花粉飞到处于雌性状态的花朵时就会将花粉带到雌蕊上。

每当有昆虫前来采集花蜜时，我都会记录下它们接触雄蕊或雌蕊的情况。我将共计1639例的观察结果整理成论文，发表在了1973年的《植物研究杂志》上。结果，我收到许多海外来信，信中表示希望能够获得一份杂志的摘抄。摘抄指的就是将杂志中的一部分内容单独印刷出来装订成册，用于研究者之间的研

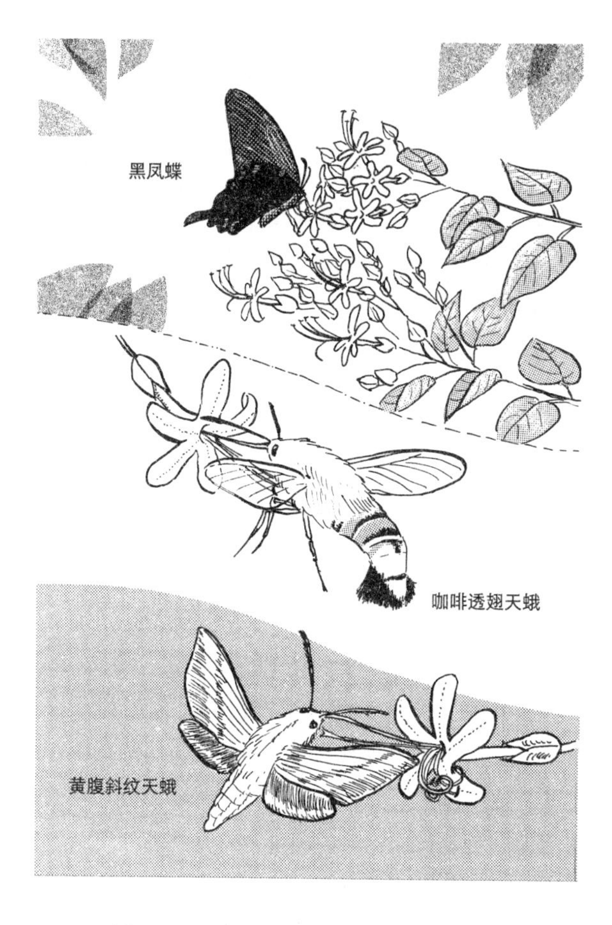

★………到光叶海州常山花朵上吸食花蜜的昆虫（白天和夜晚）

究成果交流。虽然这篇论文是用日语写的，但因为我搭配了许多图表和图片进行说明，并且用英语做了总结，所以海外的读者也看懂了吧。

科学杂志《自然》12月号的《学会文摘》中也介绍了这篇论文。但日本国内的研究者们却对此没有任何反应。说明直到20世纪70年代，日本仍然几乎没有深入研究花朵生态的研究者。

被天蛾看穿的合欢花的分工战术

合欢因为叶片到了晚上就会闭合而得名。不过合欢的花朵则是从傍晚开始绽放，散发出柔和的香气，吸引天蛾来采集花蜜。当天蛾轻轻地碰触到花朵时，就会成为花粉的搬运工。

合欢花看上去好像一个粉色的毛刷，实际上这是由许多花朵组合在一起形成的，每一朵花有五片花瓣。但合欢花看起来像毛刷并不是因为这些花瓣，而是从花瓣中伸出来的长长的雄蕊和雌蕊。合欢花的花蕊不但肩负着传播花粉的职责，还发挥着让花朵看起来更显眼的作用。

我曾经观察过生长在道路旁边的合欢花。因为一般来说花蜜都存在于花朵深处，所以我检查了合欢花底部的圆筒。但这朵花的雄蕊和雌蕊紧密地聚集在一起，看起来就连天蛾那细长的嘴巴也伸不到圆筒之

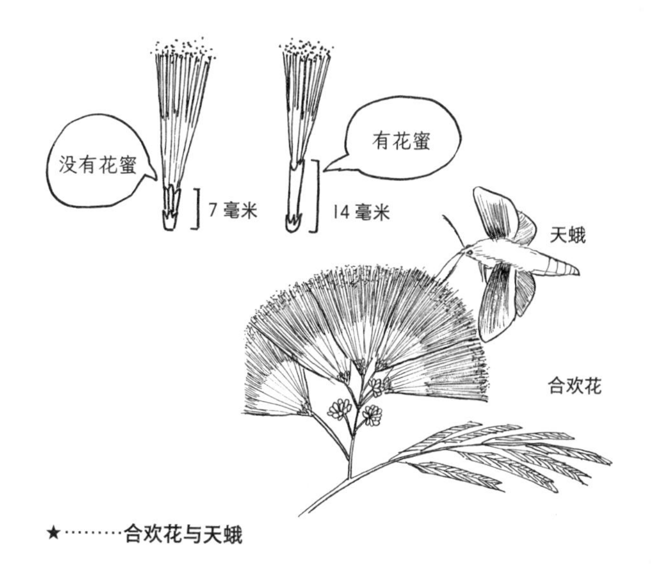

★………合欢花与天蛾

中，而且我也没在圆筒里找到花蜜。但是，我眼前的天蛾却在合欢花面前好几次摆出吸食花蜜的动作。如果合欢花中没有花蜜的话，天蛾肯定不会这样做。为什么我没有发现花蜜呢？我站在昏暗的路旁连续解剖了好几朵合欢花，但一点儿花蜜也没找到。

又过了几年，我再次有机会观察合欢花的时候，终于解开了这个谜团。原来在整个合欢花的花束之中，不同的花朵有不同的分工。将整个合欢花的花束拆开之后，会发现位于中间的两三朵花的形状和其他花朵不同。这几朵花用来包裹雄蕊和雌蕊，它们的花筒又长又粗，里面存储着大量花蜜。而我第一次解剖合欢花的时候，选的都是位于花束外围的花朵。

聪明的天蛾能够分辨出哪些花朵里面有花蜜，它们会像直升机一样专门悬停在这些花朵上享受甘甜的花蜜。

喜欢果蝠的昙花

在热带和亚热带有一种叫作果蝠的蝙蝠。它们的翅膀展开能达到三十厘米到五十厘米。顾名思义，这种蝙蝠以水果等植物为主食，因为有时候会破坏果园里的果实，所以曾经被当作有害动物捕杀。同时，因为果蝠有吸食花蜜的习性，所以也有一些花朵依靠它来传播花粉。

我第一次见到依靠果蝠来传播花粉的植物，是在位于东京上野的国立科学博物馆的大井次三郎先生的研究室里。那是一种叫作油麻藤的豆科植物。油麻藤的花朵形状与蚕豆花一样，但尺寸更大，长六七厘米，花瓣与花萼都是暗褐色而且比较坚固，花朵中储存着大量的花蜜。

后来我得知油麻藤属的植物大多以果蝠作为传播花粉的媒介时，终于理解了为什么油麻藤的花朵又大又结实，而且还有这么大量的花蜜。又大又结实的花朵是为了能够支撑起体重三四十克的果蝠，大量的花蜜则是为了让果蝠能吃饱肚子。在熊本县也生长着油麻藤属的植物，但遗憾的是那里并没有果蝠。日本国内同时存在这两种生物的地区只有琉球群岛与小笠原。

既然油麻藤依靠夜间活动的蝙蝠来传播花粉，那为什么开出的花不是白色和黄色等明亮的颜色，而是阴暗的褐色呢？虽然在油麻藤属的植物中也有会开出淡绿色花朵的巨油麻藤，但我在上野看到的油麻藤花都是暗褐色的。

天蛾可以通过嗅觉感知到远处的花朵，当飞到花朵附近之后，就需要靠视力来寻找花蜜。在昏暗的夜晚，颜色明亮的花朵容易被天蛾发现，自然容易传播花粉，提高繁衍后代的概率。

每年夏天开放的昙花，在野生状态下也是通过蝙蝠来传播花粉的。大家可能都听说过“昙花一现”这个成语，也知道昙花只在夜晚开放，但很少有人知道昙花其实是原产于中美洲依靠蝙蝠来传播花粉的植物。昙花是白色的花朵，在夜里只要有淡淡的微光就会十分显眼，吸引蝙蝠来吸食花蜜。

那么，为什么油麻藤属的花朵都不是明亮的色彩，而是暗褐色呢？因为当蝙蝠在夜晚的森林上空飞行时，向下看去只能看到花朵的剪影。比昆虫更聪明的蝙蝠凭借花朵的剪影就能理解其代表的意义。而与明亮的颜色相比，暗褐色会让剪影更加显眼。这也是借助蝙蝠来传播花粉的植物大多开深色花朵的原因。

★………吸食油麻藤花蜜的果蝠

用甘甜的叶片来引诱蝙蝠：山露兜

从位于亚热带海域的小笠原群岛的最高峰——母岛的乳房山（海拔462米）——下山时，我遇到了一种叫作山露兜的神奇花朵。

山露兜是生长在小笠原和冲绳等亚热带地区的露兜树科植物，从纤细的茎上向左右伸出长四十至六十厘米的剑形叶片，能够像爬山虎一样紧紧地附着在岩石或树木上。

但如果周围没有东西可以攀附，山露兜就会将茎竖直，朝周围伸出叶片。不久之后，山露兜就会长出底部呈黄色的叶片。随后长出的叶片上黄色的部分越来越多，越往内侧黄色就越明显。直到长出完全为黄色的柔软叶片时，山露兜就会开出三四根花穗。花穗的长度大约为七厘米，呈圆柱状。花穗底部有一个短柄，看起来就像冰棒和芝麻穗。在花穗的表面，紧密地排列着大约四万朵只有雄蕊的雄花和一千朵左右只有雌蕊的雌花。

从正上方看去，在花穗的周围是直径二十厘米左右仿佛黄色花瓣一般的叶片，雄花和雌花组成的花穗看起来就像是花朵的雄蕊和雌蕊。这种带有颜色的叶片与雄花和雌花组成的花穗搭配在一起仿佛一整朵花的状态被称为“伪花”。山露兜的伪花能够散发出像焦糖一样香甜的气味。黄色的叶片尝起来就像煮熟的海带一样味道鲜美。我认为山露兜正是以这种美味的叶片作为诱饵，吸引鸟类来帮助它传播花粉的。当时我本打算稍微观察一下，但因为已经是傍晚时分，我害怕天黑之前下不了山而没有多作停留。

第二天，我又专门回去观察。但山露兜盛开的地方只有一片坚硬的岩石，周围没有任何高大的树木，也没有地方可以撑起遮阳帘。小笠原位于亚热带，4月的时候太阳光就已经非常充足，我只能站在烈日下静静地等待鸟儿到来。

首先前来拜访的是只栖息于小笠原母岛上的笠原吸蜜鸟。然后我还看到了被人类带到母岛上的日本绣眼鸟。不过，因为这些鸟的体形太小，几乎接触不到位于中心的花穗，所以传播花粉的效率并不高。后来，终于来了一只体形比较大的金翅雀，它落在伪花周围的叶子上，开始啄食位于中心的黄色叶片。而且它的身体似乎也碰触到了雄花和雌花的花穗。在雄花的表面覆盖着许多黏性十足的花粉，鸟类只要稍微碰触一下，身上就会沾满褐色的花粉。只要带有这种花粉的鸟类碰到雌花，花粉就会附着在黏稠的柱头上。

虽然观察的结果证明山露兜通过鸟类来传播花粉，但还有一个问题没有解决，那就是：为什么伪花要散发出像焦糖一样香甜的气味呢？因为鸟类的嗅觉并不灵敏，所以需要引诱鸟类的花朵一般都不会散发

★………山露兜的花和果蝠

出香味。而且主要通过鸟类来传播花粉的花朵一般都是红色或者白色，但山露兜的伪花是黄色的。

在写观察报告的时候我查阅了相关的文献，结果发现果蝠也会来吸食山露兜的花蜜。这样一来，伪花的香味和颜色之谜就解开了。果蝠依赖嗅觉和视觉来寻找食物。而山露兜黄色的伪花在昏暗的夜晚就非常显眼，香甜的气味也能勾起果蝠的食欲。柔软的黄色叶片可以代替水果作为果蝠的食物。

花朵的形状也有意义！

本来这部分内容应该写在“前言”部分的。但如果一开头就写这样的内容总感觉太严肃了，所以就将介绍本书主旨的内容放在这部分吧。

虽然花朵生态学只是我的兴趣爱好，但实际上这也是一个专门的科研领域，最早始于1793年斯普林格出版的研究，在从19世纪50年代开始的50年间，相关研究最为兴盛。当时意大利和德国的生物学家详细记录了花朵为了让昆虫传播花粉而进化出的巧妙结构、花朵的性别转换、作为花粉传播媒介的昆虫等内容。

将这些研究内容集结在一起的是德国生物学家克努特。他从1898年到1899年，出版了名为《花朵生态学手册》的著作。这部著作分为三册，共计1802页，厚度达到8厘米。这本书以欧洲的植物为中心，记录了当时学者们研究过的大约3000种花朵的生态，还列举了去采蜜的昆虫并标明了相应的参考文献。

但从那之后，在研究花朵的生态方面，仅凭观察记录的博物学方法就达到了极限并逐渐衰退了。生物学的研究随着遗传学和研究设备的发展而更加侧重生理学研究的方向。由于新学问的盛行，人们普遍认为研究花朵的形状和进化出的巧妙结构是一种过于拟人化的思考方法，尝试解释说明花朵的形状与功能具有

★………斯普林格所著《花的结构与受精》的封面

何种意义并非科学研究。

20世纪50年代后期，我在东京大学听过一次公开讲座。当时负责演讲的教授这样说道：“花朵的形状和颜色是由遗传基因组合的顺序决定的，‘蒲公英的黄色花朵是为了吸引昆虫的目光’之类的说法并没有科学依据。”

确实，蒲公英并不是为了吸引昆虫的目光才进化出黄色的花朵的。这只是因为化学反应产生的化学物质能够反射黄色的光线罢了。如果要说明蒲公英的花朵颜色与昆虫之间的关系，必须说“蒲公英的花朵是黄色的，容易被昆虫发现，增加授粉的机会，更容易繁衍生息”，这样才能被人们接受。

虽然这种思考方法如今仍然被认为是正确的，但学界已经比之前宽容了许多。现在学界已经能够接受从“用化学变化的积累说明生命现象”的原因和“在繁衍生息中发挥了什么作用”的终极原因这两个方面对生物进行解释。以蒲公英为例，花瓣之所以是黄色的，既存在“化学变化累积的结果产生的色素”这个近因原因，也存在“为了吸引昆虫的目光而进化出黄色的花瓣”这个终极原因。

本书以花朵的视角描写其结构和功能，因此只考虑花朵的形状和颜色在授粉行为上存在怎样的意义这一“终极原因”。本书没有详细记述每个示例的进化过程，但含有大量拟人化以及目的论的描写。当然，这种思考方法的基础来自生物进化和自然选择，希望大家在阅读本书的时候能够理解这一点。

Chapter 03 可靠的花蜂

紫云英花园

当我们看到花朵，说出“好漂亮”的时候，大多指的是花朵的颜色。说出“好可爱”的时候，大多指的是花朵的形状。但要是想真正地了解花朵的生态，还是需要弯下腰、蹲下身，靠近一些仔细观察。

如果凑近看，会发现在紫云英的花朵周围还有许多粉色的小花，组成了一个圆形的花环。

当我们靠近紫云英的花朵时，不但能够看到花朵上方飞舞的蝴蝶，耳边还会听到嗡嗡的蜂鸣。勤劳的花蜂不会在一朵花上停留太久，而是不断地从一朵花飞到另一朵花上。当你的眼睛习惯了花蜂的速度，就能看清楚它令人眼花缭乱的行动。当花蜂落在花朵上之后，就会用前腿将花瓣向两边分开，然后把头钻进花朵的深处，两三秒之后，花蜂就会飞向下一朵花。在这段时间里究竟发生了什么呢?

对了，借此机会和大家说一下，花蜂在采蜜的时候是不会蜇人的。甚至你趁花蜂采蜜的时候用手抚摩它的后背都没有关系，在三十厘米之外的范围都能保证安全。大家可以尽量仔细地观察。

紫云英的花朵由正面的巨大红色花瓣和位于其下方的形状比较复杂的许多花瓣组成，无法直接看到雄蕊和雌蕊。如果想看到雄蕊和雌蕊的话，需要用一只手捏住上方的巨大花瓣，另一只手捏住下方的花瓣，

★………蝴蝶飞舞、花蜂吸食花蜜的紫云英

轻轻地上下分开，就能看到从下方花瓣中伸出的一束细线，这就是紫云英的雄蕊和雌蕊。当花蜂分开花瓣采集花蜜时，雄蕊就可以趁机将花粉沾在花蜂的腹部，雌蕊则可以趁机接受沾在花蜂腹部的花粉。

1973年春季，我得到了拍摄紫云英花朵的机会。当时担任山梨县立女子短期大学教授的长田武正先生建议我写一本书，并帮我推荐了出版社，于是我需要在秋天之前拍摄两百张以上的彩色照片。这本书的书名是《花与昆虫》(保育社)，是我出版的第一本书。为了向读者们清楚地展示紫云英花朵的结构，我在一张蓝色的纸上将被拆开的花瓣和雌蕊整齐地摆放在一起，但就在我正要按下快门的时候，一阵风吹来，纸上的花瓣和雌蕊全都随风而去了。来采集花蜜的花蜂那迅捷的动作也让我非常苦恼。

紫云英的花瓣总共有五片，按形状可以分为三种。这三种花瓣分别肩负着不同的职责。首先是像旗帜一样在正面高高竖起的巨大花瓣，仿佛在告诉昆虫们“这里有花哦”，这种花瓣叫作“旗瓣”。在旗瓣的下方还有四枚花瓣，位于中央的两枚花瓣就像船的船头，因此被叫作“舟瓣”。舟瓣从左、右两侧包裹着雄蕊和雌蕊，发挥着重要的作用。而在舟瓣的两侧，则是与舟瓣紧密地贴合在一起给花蜂提供落脚点的花瓣。因为像翅膀一样向两侧展开，所以名为“翼瓣”。

对花蜂来说，需要将头伸进旗瓣的正下方寻找花

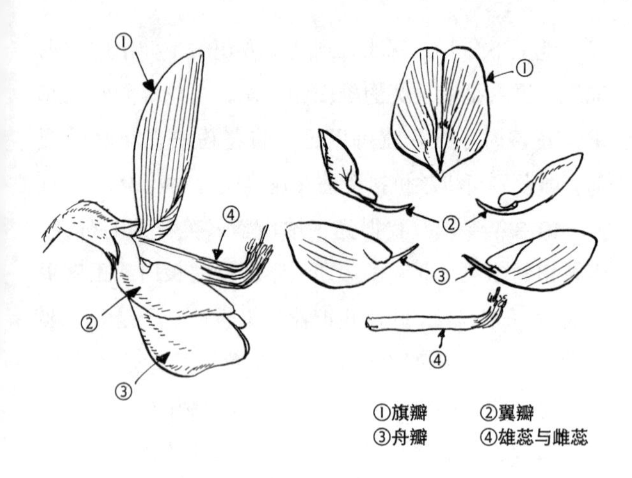

★………紫云英花朵的结构

蜜，后腿则站在位于下方的四枚花瓣上。这样一来，被舟瓣包裹的雄蕊和雌蕊就会自然伸出并碰触到花蜂的腹部。为什么会出现这样的变化呢？这是因为旗瓣的底部与花柄紧密地连接在一起，不会轻易发生变形。而与之相对的，舟瓣和翼瓣的底部与花柄的连接则没那么紧密，只要稍微受力就会向下弯曲。所以当花蜂落在花瓣上的时候，受力的舟瓣和翼瓣就会向下弯曲。但位于花朵中心的雌蕊则与花柄紧密相连不会移动，所以就会自然而然地从花瓣中伸出来了。

雄蕊有十根，如果雄蕊也和雌蕊一样与花柄紧密相连的话，紫云英就必须投入大量的资源在雄蕊的花丝上。但包括紫云英在内的豆科植物都懂得巧妙节省资源的方法。只要将紫云英的花朵分解后就会发现，雄蕊的花丝与周围的其他花丝相连，形成喇叭的形状。雄蕊用这个喇叭将圆柱形的雌蕊包裹起来，当舟瓣向下弯曲时，包裹着雌蕊的雄蕊就会跟着雌蕊一起从花瓣中伸出来。

但如果全部十根雄蕊都将雌蕊包裹起来，花蜂就吸不到位于雌蕊底部的花蜜了。所以实际上在十根雄蕊之中，只有九根围成圆筒状，而最上方留出了一个缺口。就像我们用纸卷出一个圆筒形，最后留出一部分没有完全连接到一起那样。这样一来，花蜂就会更容易吸食花蜜。

要爆炸了哦：
金雀儿

请想象一下，如果你正在专心致志地工作，忽然耳边传来一声巨响，你的身体被好像鞭子一样的东西重重地抽打并被紧紧地束缚起来，然后身上被撒满不明的粉末。如果遭受到这样的刺激，你肯定不会再靠近那个地方了吧。但身上包裹着坚硬外壳的花蜂们似乎对此并不在意。即便在前一朵花上被"砰"的一下沾满花粉，它们还是会马上飞到下一朵花上继续采蜜。

在每年5月初期绽放的金雀儿花，就会用这种粗

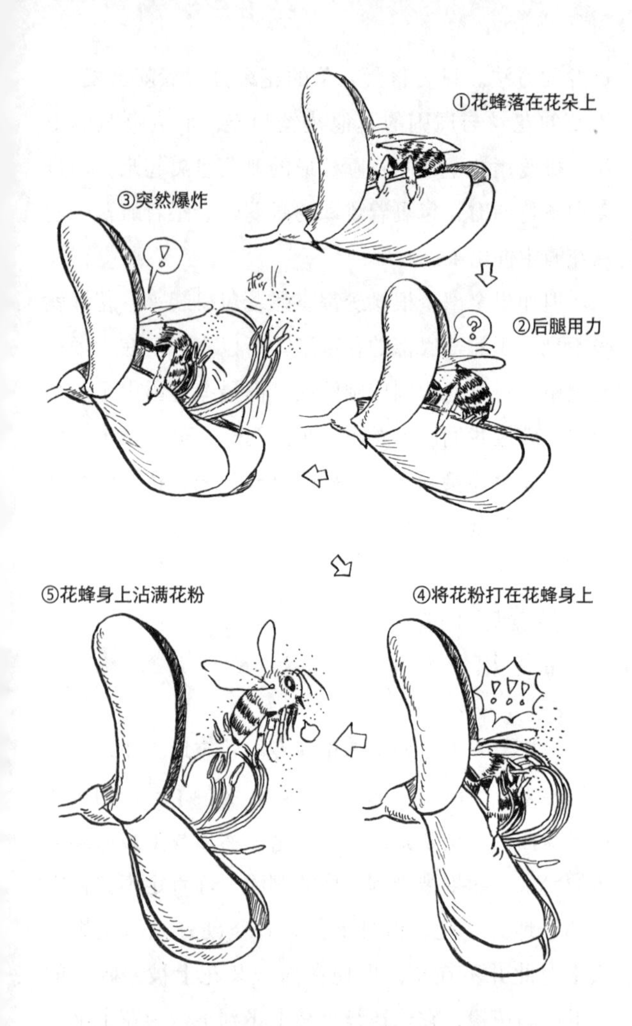

★………花蜂与会爆炸的金雀儿

鲁的方式来欢迎花蜂们的到来。金雀儿是经常被种植在公园等地的高一两米的灌木，能够开出长约两厘米的花朵。最近有些花店会将能开出许多黄色花朵的盆栽植物当作金雀儿售卖，但实际上这是金雀儿的近缘种小金雀，两者稍有不同。

有一年五一黄金周的时候，我上午10点跑去公园观察金雀儿，结果发现了两朵状态完全不同的花。一朵的花瓣大大地展开，雄蕊和雌蕊都露在外面；而另一朵的花瓣则上下张开，看不见雄蕊和雌蕊。能够看到雄蕊和雌蕊的，是已经完成繁衍任务的花朵。而看不见雄蕊和雌蕊的，则是已经成熟准备好随时“爆炸”的花朵。看起来似乎有违常识，但这正是金雀儿的生存策略。

来金雀儿花这里采蜜的花蜂主要有虎花蜂、蜜蜂、长须蜂等。花蜂正如其字面意思，是依赖花朵为生的蜂类。这些花蜂在金雀儿花上采蜜时的动作与在紫云英花上采蜜的动作如出一辙，都是先降落在花朵上，将头钻进花朵中心采集花蜜，后面的两条腿则会因为用力而将花瓣踩下去。但金雀儿的花朵在受力后会从中间裂开，紧接着“砰”的一声爆炸，雄蕊和雌蕊从花瓣中弹出打在花蜂的后背上。

成熟的雄蕊和雌蕊原本就存在于下方的花瓣中，但因为被花瓣紧紧地包裹着所以弹不出来。当花瓣因为花蜂的用力踩踏而裂开时，雄蕊和雌蕊就会一下子弹出。此时，雄蕊和雌蕊的前端会猛地拍打花蜂的后背，雄蕊将花粉沾到上面，雌蕊则接受上面的花粉。有时候，雌蕊和雄蕊还会将花蜂紧紧地束缚起来。不过即便遭遇了这样粗暴的对待，花蜂还是会不计前嫌地来金雀儿花上采蜜。

但实际上在金雀儿花朵的里面并没有花蜜。不仅如此，金雀儿花的雄蕊是一个完整的圆筒，并不像紫云英那样给花蜂专门留出了用来吸食花蜜的空隙。即便如此，花蜂还是乐此不疲地前来，这究竟是为什么呢？提出了著名的进化论的达尔文也在书中提到“其中一定有对花蜂来说非常有吸引力的东西”。这个东西其实就是“花粉”。

能够让花蜂们如此向往的花粉，其中究竟含有怎样的营养成分呢？以前我曾经为了写书而调查过花粉的营养价值。虽然没找到金雀儿花的营养成分，但日本花粉学会编写的《花粉学事典》（朝仓书店）中记载了山百合花粉的营养成分。在1单位的山百合花粉中，含有蛋白质26%、脂肪18%、碳水化合物24%、水分4%。只看这些数字恐怕对山百合花粉的营养价值难以有直观的理解，于是我从图书馆借来科学技术厅资源调查会编写的营养表，一页一页地翻阅，寻找与山百合花粉营养成分相似的食品。

最终我找到的答案是烤秋刀鱼。对两者的营养价值进行比较，会发现其中蛋白质和脂肪的含量十分相

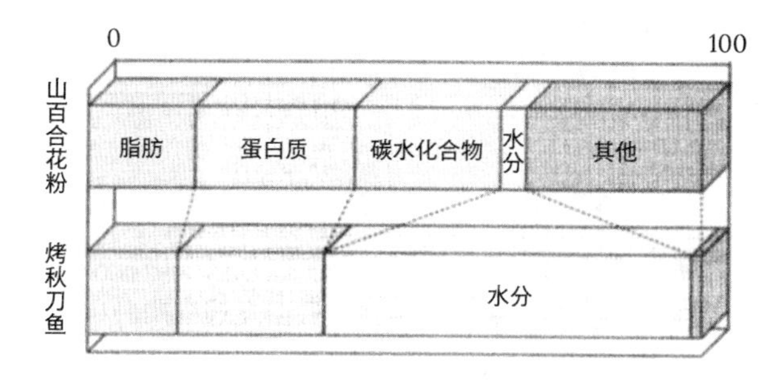

★………山百合的花粉与烤秋刀鱼的营养价值对比

似，唯一的差异是水分和碳水化合物的比例。秋刀鱼含有60%的水分，碳水化合物只有0.1%，与之相比，山百合花粉的碳水化合物含量为24%。但如果换个角度，只要将其看作烤秋刀鱼和米饭的套餐就好了。

金雀儿花粉的营养成分或许也与之相似。

花蜂会收集这些拥有极高营养价值的花粉并带回蜂巢喂养幼虫。这是花蜂身体成长必不可少的食物。此外，熊蜂还会将花粉涂抹在蜂巢的墙壁上当作建筑材料。说起花朵与昆虫之间的联系，许多人可能只能想到花蜜，但实际上花粉对昆虫来说也是和花蜜同样重要的资源。

金雀儿以前很常见，但因为寿命很短，所以现在已经非常稀少了。

向下开花的意义：铃兰

大家听说过铃兰花吗？铃兰的花朵呈白色，在花茎上整齐地排列在一起，向上翻翘的花瓣画出一条美丽的曲线。我们使用的工具和设备在发挥作用时，往往能够透露出一种功能的美感。铃兰花也有这种功能的美感。

“像铃兰这样朝下开放的花朵，为什么花瓣要翻翘起来呢？”

这是我在一边播放幻灯片一边演讲时经常提出的问题。因为我一直相信“花朵的形状是有意义的”，并且为了证明这一点而坚持对花朵进行生态调查，所以我也希望来听我演讲的听众们能产生同样的兴趣，才会提出这样的问题。

在听众们思考的时候，我就会将花蜂落在铃兰花上采集花蜜的幻灯片播放出来，于是底下就会发出一阵恍然大悟的“啊”的声音。正如第55页图所示，花蜂正是依靠抓住翻翘的花瓣来采集花蜜。不过并非所有的昆虫都能用到这个翻翘的花瓣。能够在倒立的状态下抓住花朵的昆虫只有花蜂和蝴蝶。而其中能够利用翻翘的花瓣倒立采集花蜜的只有花蜂。也就是说，铃兰之所以进化出这样的形状，是为了筛选前来采蜜的对象。

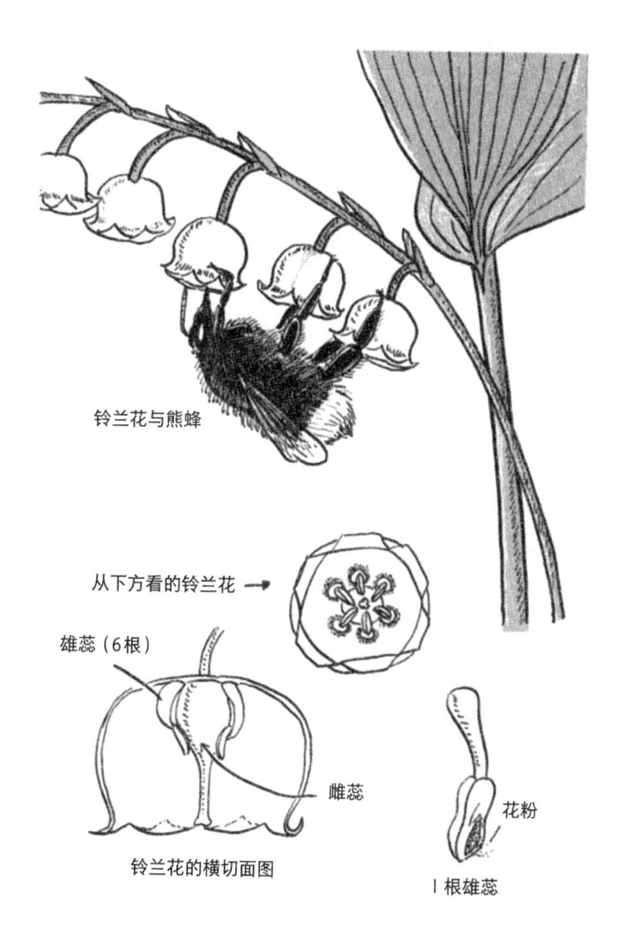

★………铃兰花的结构与熊蜂

与铃兰花一样的向下开放的花朵，内部的结构却各不相同，有的结构非常简单，有的则比较复杂。每当第一次见到这种类型的花朵，我都很期待检查一下里面的结构是什么样的。

首先来看铃兰花，铃兰花内部的结构属于比较简单的类型，如图所示，雌蕊位于正中间，周围被六根雄蕊包围着。因为花朵的开口比较大，体形较小的花蜂可以直接将头伸进去吸食花蜜。对于居住在东京的我来说，铃兰花是非常珍贵的植物，所以我一直都没舍得将它解剖。

与之相对的，在东京樱花即将凋零的时候，会开出许多白色花朵的吊钟花，因为数量繁多，是用来进行解剖观察的绝佳材料。吊钟花是在日本自然生长的灌木，因为能够开出与铃兰花十分相似的美丽花朵，再加上有鲜红色的叶子也可以欣赏，所以在日本各地被广泛栽培。

吊钟花的长度为七八毫米，形状像一口吊钟，因此得名。将吊钟花的花瓣摘掉后，能够看到其内部有十根雄蕊围绕在绿色的雌蕊周围。雄蕊由白色的花柄和淡黄色的花药组成。花药上面长着尖角，整个看起来就和非洲黑斑羚的头部一样。用牙签等尖锐物体碰触这个尖角，会发现整个头部都会跟着动起来，并且从相当于黑斑羚眼睛部分的空洞里掉落出白色的花粉。许多虫媒花的花粉为了能够附着在昆虫身上而都

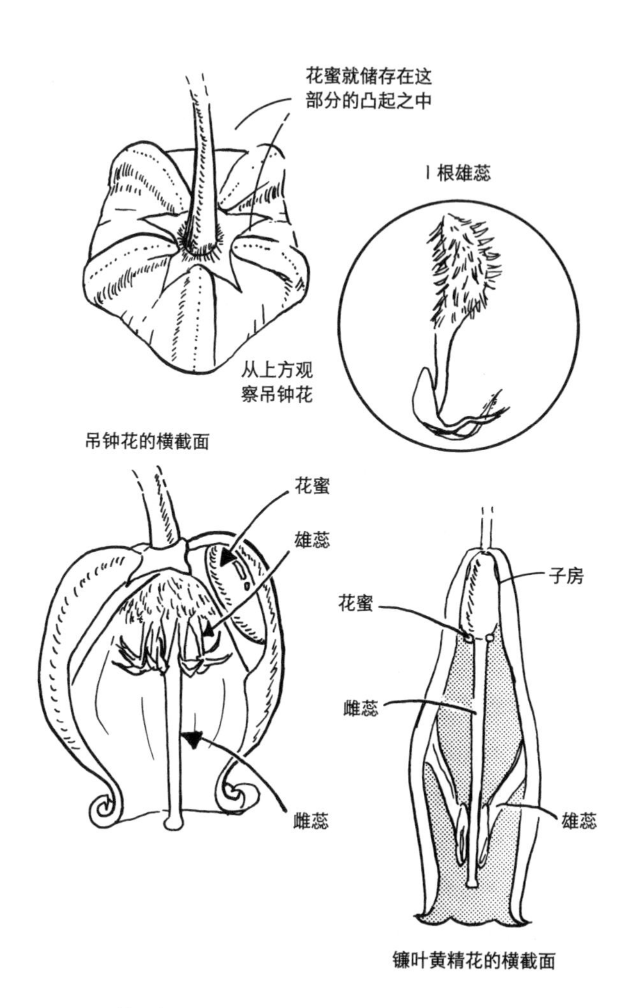

★………朝下方开放的花朵储存花蜜的方法

具有黏性，但吊钟花的花粉却非常清爽。当观察到这一步的时候，我就会开始发挥想象，展开推理。

当来到吊钟花这里采集花蜜的花蜂将头伸进去的时候，就会碰触到雄蕊上面的尖角，于是花粉就会从花药中掉落出来，掉落到花蜂的头上。如果花粉具有黏性的话，花粉就不会均匀地撒在花蜂的头上，而是被黏在花蜂细长的嘴巴上，这样一来花蜂搬运的花粉数量就会变少。而头上沾满花粉的花蜂飞向另一朵吊钟花的时候，头最先接触到的是一直伸到花瓣边缘的雌蕊。这样就能够将花粉传授给雌蕊了。

但朝下开放的吊钟花的花蜜为什么没有因为地球的引力都流出去呢？花蜜没有蜜蜂储存的蜂蜜那么黏稠，很容易流动。那么吊钟花又是用什么巧妙的方法将花蜜储存起来的呢？

在吊钟花花瓣的底部有五个凸起。这个凸起是由花瓣左、右两边相互挤压形成的。储存于其中的花蜜由于毛细作用而不会流出来，同时雄蕊的底部还有纤细的花丝，同样能够起到储存花蜜的作用。

但与吊钟花同属于杜鹃花科的马醉木的花则没有这样的结构，花蜜就直接贴在像吊钟一样的花瓣内壁上，天门冬科的镰叶黄精的花蜜像颗粒一样附着在雌蕊的子房（之后成为果实的部分）上。在花朵这小巧的结构之中，花蜜凭借表面张力和附着力等与地球引力进行着斗争。

特制的手术刀

前面我给大家看了吊钟花的横截面图，但因为花朵很小，无法用手直接掰开，所以需要用特制的手术刀来解剖。我曾经在一本书上看到过这种特制手术刀的制作方法："将剃须刀的刀刃掰下来，分割成易于使用的形状，然后用电焊将刀刃与缝衣针的头部焊接在一起"。

但一般情况下很少有人拥有电焊的工具和技巧，所以我想了一个更简单的制作方法。

这个方法需要用到不锈钢制成的剃须刀片，首先将刀片上的保护油去除，然后用剪刀将剃须刀的刀刃如图所示剪下来。如果刀片不是不锈钢制成的，在用剪刀剪的时候，刀刃可能会迸得到处乱飞，非常危险。当刀刃剪好之后，接下来用环氧树脂胶将刀刃粘在缝衣针的头部。然后只要将缝衣针插到筷子里就可以使用了。

如果感觉自己制作手术刀太麻烦了，使用小剪刀也可以。化妆品卖场里就能买到这样的小剪刀。选择刀刃部分又细又短的就好。接下来就是实际剪切几朵花掌握要领，保证在剪切后能够看清楚花朵内部的结构。如果再搭配放大镜的话效果更好。你也可以试着对花朵为什么进化出如此巧妙的结构展开推理。

我推荐初学者使用从百元店里买的放大镜，用来

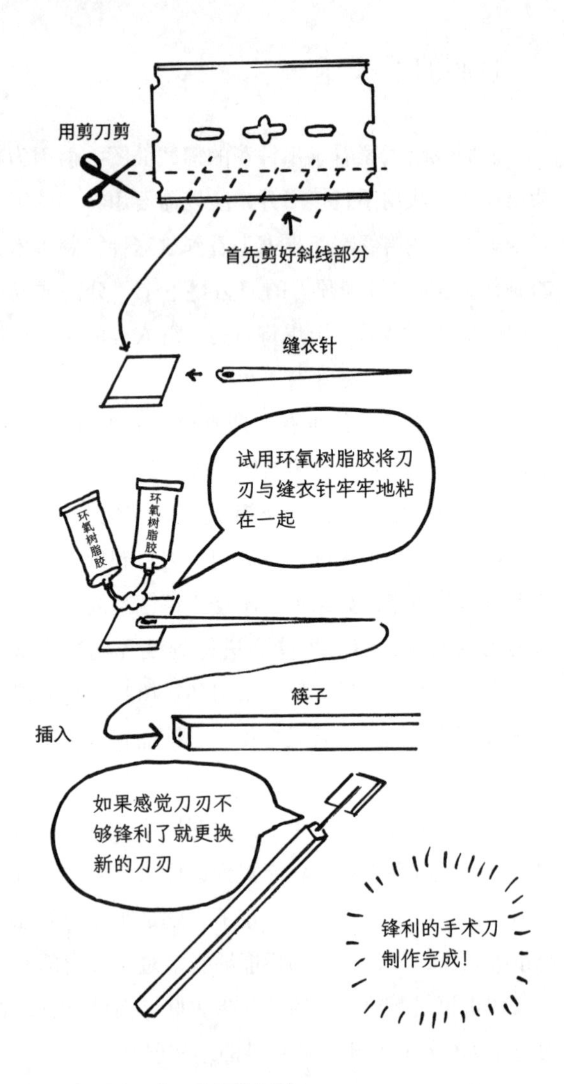

★………解剖用手术刀的制作方法

观察花朵的结构足够用了。与百元店的放大镜相比，一两千日元的专业放大镜肯定看得更清楚，但用百元店的放大镜在野外观察花朵时就算不小心丢失了也不会心疼。

有的人认为放大镜的镜片直径越大看得越清楚，但实际上镜片的大小只关系到视野的大小，与放大倍率没有关系。另外也有强调高倍率的廉价放大镜，但这种放大镜要么放大出来的图像会变得扭曲，要么无法看到整个花朵，实际上完全派不上用场。所以我推荐大家最好就买百元店里卖的放大镜。

比选择放大镜更重要的，是养成带着放大镜去野外观察花朵和昆虫的习惯。大家可以将放大镜用项链挂在脖子上，只要有机会就去观察。

紫斑风铃草也会性别转换

梅雨时节，在山路的两旁就会绽放出白色和紫色的紫斑风铃草的花朵。我对花朵的生态产生兴趣之后，第一次见到紫斑风铃草就是在东京都八王子市附近的山中。当时有一只虎花蜂在其中采集花蜜。我很想将这个场景拍摄下来，但因为紫斑风铃草的花朵是向下开放的，想要拍摄花蜂采蜜的镜头十分困难，所以我一直都没能拍出理想的照片。

紫斑风铃草的花筒直径大约2厘米，长度大约4

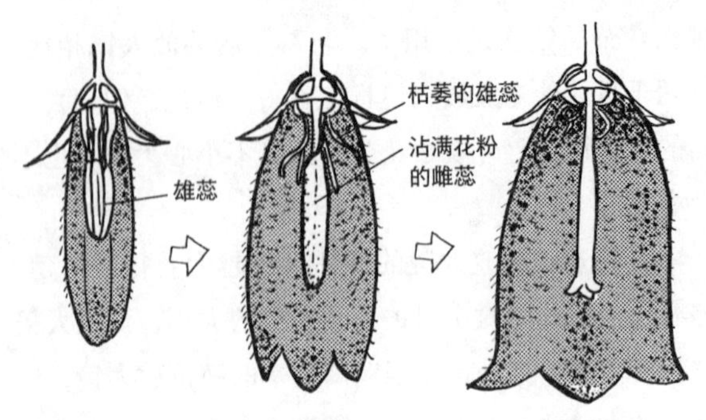
枯萎的雄蕊
沾满花粉
的雌蕊
雄蕊
花蕾
雄蕊裂开喷出花粉
雄性期
花粉转移到雌蕊的
绒毛上
雌性期
花粉消失后，雌蕊的前
端就会分裂成三瓣

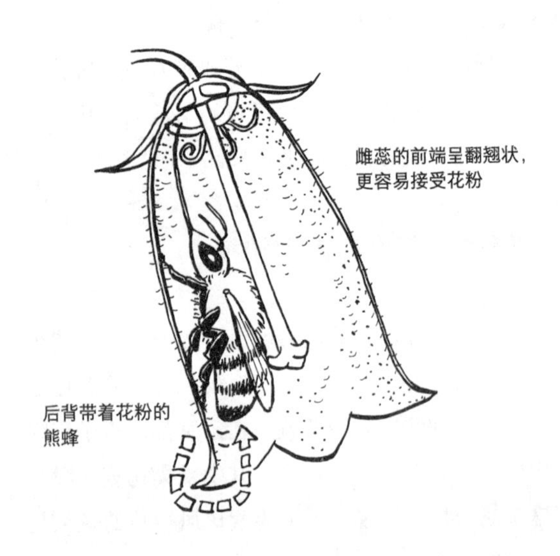
雌蕊的前端呈翻翘状，
更容易接受花粉
后背带着花粉的
熊蜂

★………紫斑风铃草花朵的变化

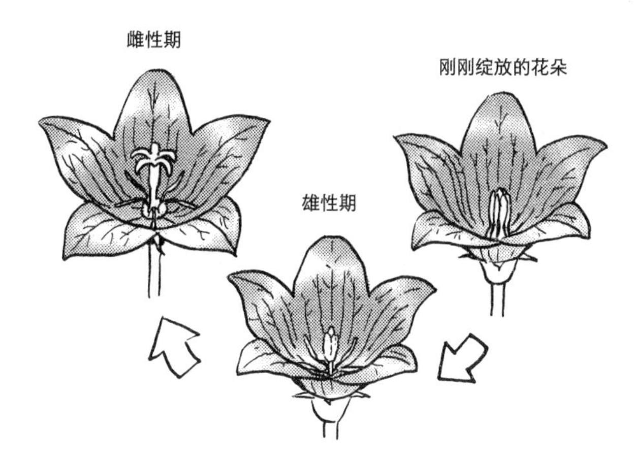

★………桔梗的花也会性别转换

厘米。在花朵的中心有一根白色的雌蕊。从下方望去，能够看到雌蕊的前端裂成3瓣的花和没有裂开的花。雌蕊的前端没有裂开的花是比较年轻、还处于雄性状态的花。将花瓣撕开之后可以看到在雌蕊的上面沾满了白色的花粉。仔细观察就会发现在雌蕊上有许多纤细的绒毛，花粉就附着在这些绒毛上面。这些花粉是在花朵绽放之前从雄蕊上转移过来的。在即将开花的花蕾之中，5根细长的雄蕊会紧紧地贴在雌蕊的周围并喷出花粉。这些花粉转移到雌蕊的绒毛上之后，花朵就会绽放。

在花筒中还有比较粗壮的绒毛。这些粗壮的绒毛是为了给前来采集花蜜的花蜂提供落脚点。花蜂爬到花筒内侧的时候，其后背就会碰触到雌蕊，将雌蕊的花粉沾到上面。

当花朵绽放3天之后，雌蕊上的花粉基本都被搬运走的时候，雌蕊的前端就会分裂成3瓣，变成接受花粉的状态，开始接受沾在熊蜂后背上的花粉。

也就是说，紫斑风铃草的花朵在刚开放的时候发挥的是雄性的功能，过几天之后则开始发挥雌性的功能，属于从雄性到雌性的性别转换。

秋季开放的桔梗花也同样能够性别转换。在刚开放的桔梗花之中，雌蕊包裹着雄蕊。此时雄蕊会将花粉转移到雌蕊的绒毛上。当雄蕊的花粉全部转移完毕后，雌蕊的前端就会分裂成五瓣，进入接受花粉的雌性期。

用花瓣指挥交通：日本乌头

曾经有两位女性问我“这是什么花”，我回答说“日本乌头”。然后话题就转移到使用乌头毒素杀人的案件上去了。说起乌头草可能很多人都听说过，但要问乌头草的花朵是什么样子，知道的人就很少了吧。

我们看到青紫色的乌头花，其实外面的一层是它的萼片，而花瓣则被包裹在萼片里面变成了蜜腺。不过，因为本书尽可能对花朵的生态进行通俗易懂的讲

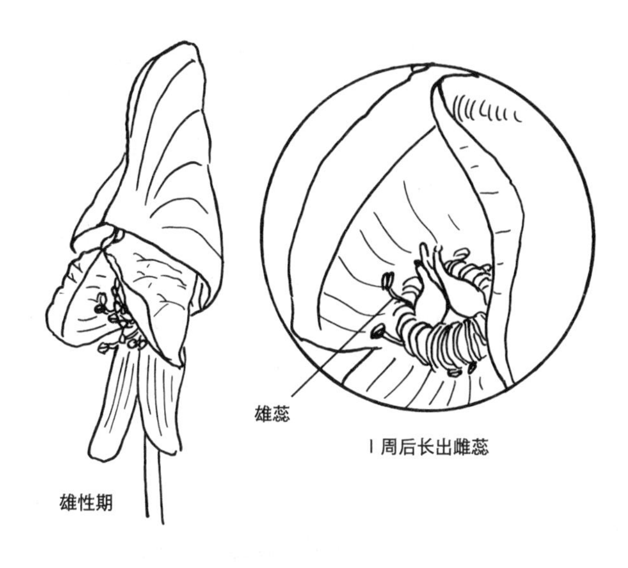

★………日本乌头的花朵和雄蕊

解，所以不管是花瓣还是萼片，一律统称为花瓣。之所以不使用植物学上的萼片、花瓣等专业术语，是因为如果区分得过于细致就会失去对花朵整体功能的关注。因此，在后文中我也不再用萼片这种叫法，而是都统一称为花瓣。说起“花瓣”，可能很多人都认为这就是指的花朵上的那部分吧，但实际上这个词并没有被收录在文部省的《学术用语集——植物学篇》中。也就是说“花瓣”并不是专业术语。那么我们在使用这个词的时候也可以不那么拘谨和严格。

日本乌头的花朵有5片花瓣，分为3种，每一种都肩负着不同的职责。位于花朵下方向斜前方伸出的两片花瓣，是给熊蜂准备的落脚点。而在落脚点的左、右两侧又各有一片圆形的花瓣，发挥着阻挡花蜂从旁边进入，引导花蜂径直前往花朵中心的作用。而位于最上方的口袋状的花瓣之中则隐藏着两个能够流出花蜜的蜜腺。在花朵入口的下方是雄蕊和雌蕊。前来采集花蜜的熊蜂必须遵循这种花瓣结构的引导才能采集到花蜜，而当熊蜂钻进花朵之中的时候，腹部必然会碰到雄蕊和雌蕊的前端，于是成为花粉的搬运工。

东京都立大学的福田阳子教授为了确认乌头花的花瓣是否真的具有这样的效果而进行了实验。她将所有的花瓣全都摘掉，观察前来采集花蜜的熊蜂能够带走多少花粉。观察结果表明前面提到的花瓣的功能是真实有效的。

乌头的花朵也能够从雄性变为雌性。乌头花雌蕊的周围有40根雄蕊，刚绽放不久的乌头花的雄蕊会向内侧弯曲，把雌蕊严严实实地藏在里面。随后位于外侧的雄蕊就会逐一伸直，同时释放出花粉。释放完花粉的雄蕊会继续向外侧弯曲逐渐离开雌蕊。在这个过程中，花朵的中心总是保持着有数根雄蕊伸直并释放出花粉的雄性状态。雄性期大约持续一周，当所有的雄蕊都释放完花粉之后，3根雌蕊就会突然伸直开始接受花粉，花朵也进入雌性状态。因为花朵从雄性

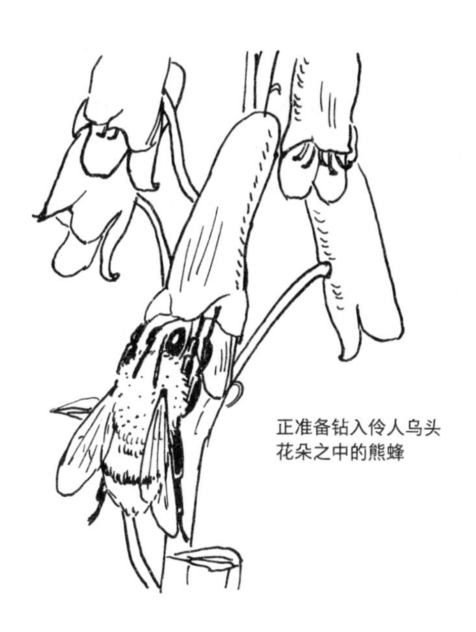
正准备钻入伶人乌头
花朵之中的熊蜂

★………伶人乌头与熊蜂

变为雌性，所以乌头花无法自花授粉。

不过日本乌头的一棵植株上会开出许多花朵，而且这些花朵的开放时间各不相同，所以熊蜂能够从处于雄性状态的花朵中沾上花粉，然后带到处于雌性状态的花朵中。还有一种花也用这种方法来授粉，那就是与日本乌头同属的伶人乌头。

伶人乌头的花朵为黄色，看起来和紫色的日本乌头花完全不同，但花朵形状和性别变化却基本相同。伶人乌头的花朵有长三四十厘米的直立花穗，位于下方的花朵先绽放，然后依次向上开放。花朵的性别与日本乌头花一样，从雄性状态转变为雌性状态，所以位于花穗下方的花朵先变为雌性，位于上方的花朵在刚开放的时候还保持着雄性状态。

前来采集花蜜的熊蜂会先到位于最下方的花朵中吸食花蜜，然后按照顺序向上移动。因此，位于下方的雌性状态的花朵就能够先获得熊蜂身上带着的花粉，而位于上方的雄性状态的花朵则会将花粉继续补充给熊蜂。因为伶人乌头的花朵都长在笔直的花穗上，所以花粉不会被传播到同一植株的雌蕊上。

熊蜂的好朋友：
野凤仙花

当我想拍摄漂亮的花朵照片时，每次要找到一朵花瓣完好无损的花朵都需要花费很大的力气。尤其是野凤仙花，只要靠近去看，可以说花瓣上一定会有黑色的小点。不过这个黑色的小点是蜜蜂来过留下的痕迹，站在花朵的立场上来说其实是值得炫耀的徽章。

野凤仙花的花朵长三四厘米，前方的两片花瓣向前伸出给熊蜂提供落脚点。在落脚点的后面是直径一厘米以上的粗大花筒，花筒的深处逐渐缩小变成旋涡状的细管。花蜜就在这个管道的里面，花蜂们需要将嘴巴伸进去采集花蜜。

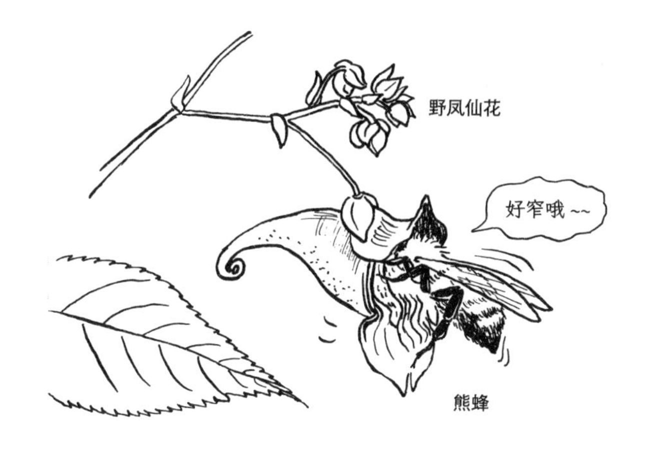

★………野凤仙花与熊蜂

以前我调查过到访这种花的昆虫。在调查时，我会先数一下周围的花朵数量，然后每当有昆虫来访时，就在笔记本上将昆虫的种类和来访次数记录下来。结果在短短2小时的观察时间内，平均每朵花都会有6.5只熊蜂前来采集花蜜。如果一天6小时都有花蜂前来的话，那平均每朵花就能接待20只花蜂。

熊蜂的身体和花筒的大小刚好相差无几，所以进入花筒之中的熊蜂的后背必然会碰到花筒上的雄蕊和雌蕊并传播花粉。因为熊蜂总是频繁地钻进钻出，所以很多熊蜂后背上的绒毛甚至都被磨掉了。

熊蜂在花朵中钻进钻出的时候，会用爪子抓在花瓣上，所以会在花瓣上留下黑色的小点。尽管在我看来这些黑点破坏了花朵的美感，但对野凤仙花来说这些伤痕却是授粉成功的证明。

会移动的雄蕊：台湾十大功劳

在春季的观赏会上如果有台湾十大功劳的话，参加者们都会感到非常高兴。这是一种原产于中国的观赏植物。十大功劳的花朵长约1厘米，被黄色的花瓣包围的花朵中心有绿色的雌蕊，6根雄蕊则并列贴在花瓣上。用放大镜才能看到在雄蕊的底部有透明的花蜜。在观赏会上我会专门准备纤细的草茎，然后对参加者说："请把自己当作来采蜜的昆虫，用这根草茎轻轻地碰触底部的花蜜吧。"当参加者按照我的指示轻轻地碰触花蜜之后，都会发出惊讶的声音。

因为当纤细的草茎碰触到雄蕊的底部时，雄蕊会"啪"的一下贴到雌蕊上。对于第一次见到会动的植物的人来说，这是打破常识的瞬间。

那要是花蜂来采集花蜜的时候会怎样呢？当花蜂想要吸食花蜜的时候，嘴巴一定会碰触到雄蕊。而向雌蕊靠拢的雄蕊就会将前端的花粉撒在花蜂的嘴巴上。另外在雄蕊的前端还能喷出黏液，当这个黏液沾在花蜂的嘴巴上之后，花粉就更容易附着在上面了。

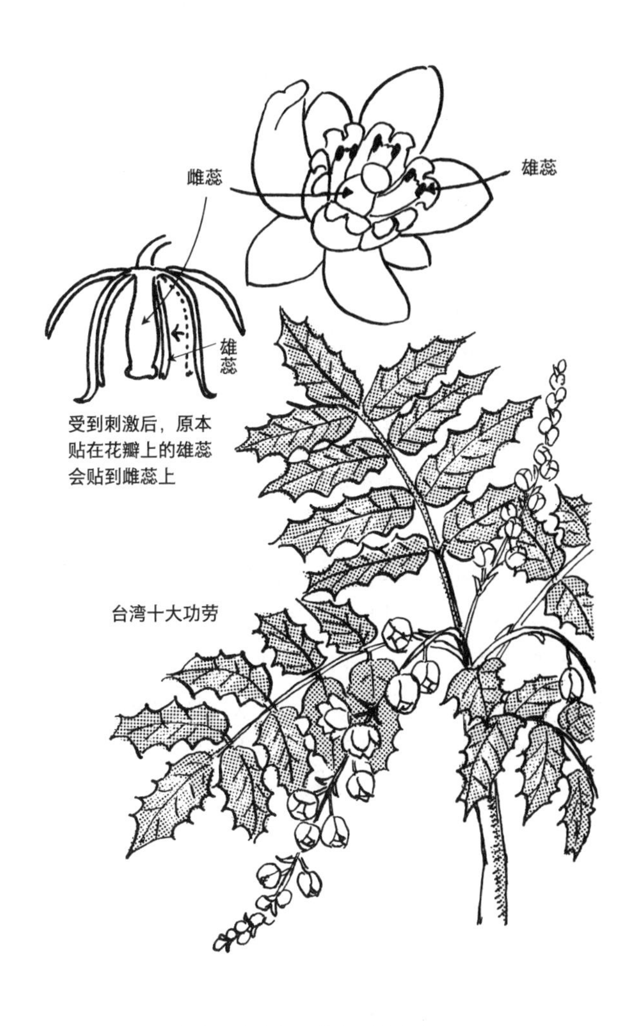

★………台湾十大功劳的形态和花朵、雄蕊的移动

初春时节乍暖还寒，昆虫活跃的温暖天气相对较少，所以台湾十大功劳的这个巧妙的机制保证了只要有昆虫前来就一定能够帮忙搬运花粉，极大地提高了授粉的成功率。

会移动的雌蕊：
匍茎通泉草

匍茎通泉草的花朵是紫色的，我们经常能够在春天的田野里看到这种花。当花蜂前来匍茎通泉草的花朵上吸食花蜜时，这种花的雌蕊的前端就会移动。

匍茎通泉草的花朵长约2厘米，横向开花，位于下侧的花瓣有黄色的斑点，十分显眼。这些斑点就像是机场的导航灯一样，让花蜂知道应该降落在什么地方。位于降落点前部的花筒刚好能允许花蜂将头伸进去，雄蕊和雌蕊就从花筒里面伸出来。雌蕊的前端像小鸟的嘴巴一样大大地张开，每当碰触到东西的时候就会瞬间闭合。在花蜂采蜜的时候我们看不到这个场景，但可以在没有花蜂的时候用纤细的树叶去轻轻碰触雌蕊，就可以看见雌蕊闭合的样子了。

对花朵来说，雌蕊闭合的动作具有怎样的意义呢？身上带着花粉过来的花蜂首先接触到的就是伸在最前面的雌蕊，而雌蕊的前端在接触到花蜂之后闭合，就能够将花粉收入其中。接下来可能就会进入受精阶段。

但如果用草茎或者树叶去碰触雌蕊的前端，因为上面并没有花粉，所以雌蕊在闭合15分钟左右之后又会再次张开，恢复到等待接受花粉的状态。

有一次我特意下到田垄里，想拍摄来匍茎通泉草的花朵上采集花蜜的昆虫。也正是这次经历让我意识到了雄性的保守。

经常有一两只雄性的长须蜂在匍茎通泉草紫色的花朵周围飞来飞去。但它们很少降落在花朵上，我只能抱着照相机跟着它们在田间地头来回游走。即便它们偶尔停留，也停不到3秒就再次起飞。我好不容易才拍了几张照片，认为其中应该有能令我满意的，于是从田里走了上来。

与这片田地相邻的另外一片田地之中开满了紫云英，有许多雌性的长须蜂在这些花朵上采集蜂蜜和花粉。紫云英是原产于中国的植物，将它们种植在田野中可以作为农作物的肥料。据说日本在17世纪的时候就引进了这种植物，但后来过了很久才懂得将它们种在田地里作为肥料。

对追求效率的雌性长须蜂来说，哪里能采到更多的花蜜就会去哪里。但保守的雄性长须蜂则一直遵循着祖先留下来的方法，执着于匍茎通泉草的花朵，等待着不知何时才能到来的“新娘”。看到这些雄性长须蜂的模样，我不由得联想到了同为男性的自己。

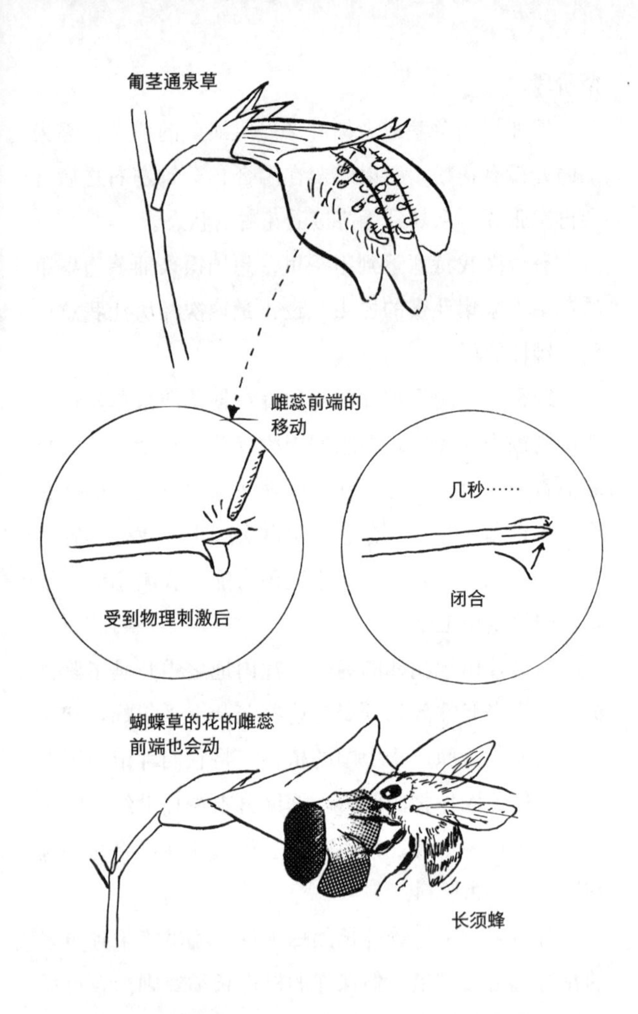

★………移动的雌蕊

花蜂的朋友

在本章中，我为大家介绍了花蜂经常到访的花朵。

其中紫云英和金雀儿都需要到访的花蜂操作一番才能采集到花蜜和花粉。紫斑风铃草和日本乌头的花朵需要花蜂钻进里面才能吸食到花蜜。而铃兰的花朵则只有能够倒立停留在上面的花蜂才能吸食到花蜜。

世上的昆虫有这么多种，为什么这些花朵只选择花蜂作为自己的花粉搬运工呢？正如俗话说的那样：“有事要拜托忙人去做。”花朵与昆虫之间的关系也一样，越是繁忙的花蜂，传播花粉的效率也就越高。

花蜂从昆虫的分类学上来说属于膜翅目，这是一个非常庞大的分类。膜翅目下属又分为细腰亚目和广腰亚目。广腰亚目正如其字面意思一样，下属的都是腰部很粗的昆虫。比如叶蜂，幼虫期是在蔷薇的叶子上生活的青虫，成虫后也不会去花朵上采集花蜜。

细腰亚目下属的则是包括花蜂在内的腰部很细的昆虫。包括依靠寄生其他昆虫生存的寄生蜂、捕捉昆虫和蜘蛛等喂养幼虫的沙泥蜂和黄蜂等狩猎蜂。

蜜蜂和熊蜂所属的花蜂，是完全依赖花朵的产物为生的蜂类。因此它们必须一直围绕着花朵活动。对蜜蜂来说，连续采集同一种类花朵的花蜜更有效率。而对花朵来说，连续前来采集花蜜的花蜂也是最佳的花粉搬运工，是非常值得信赖的伙伴！

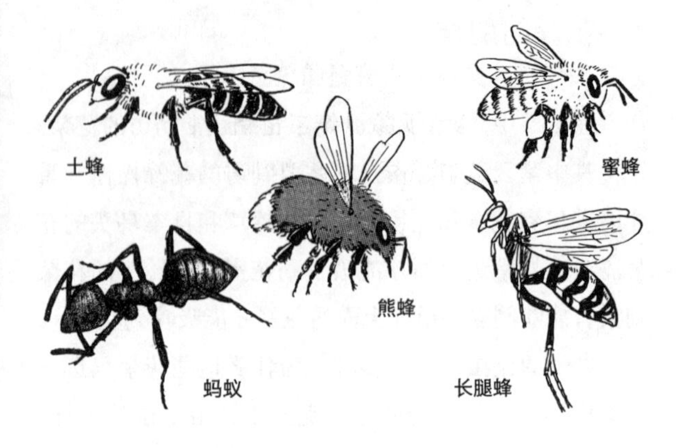

★………细腰亚目的昆虫们

所以很多花朵通过巧妙的结构，只筛选勤劳的花蜂来吸食花蜜，而将其他的昆虫拒之门外。

使用放大镜吧

百元店的放大镜的放大倍率为3 ~ 4倍，即便是初学者也能轻松使用，但要是想更仔细地观察花朵的结构，就需要使用更专业一些的放大镜。

选择放大镜需要注意两点。第一，倍率为10倍，如果倍率超过10倍，视野就会变窄，反而不利于对花朵进行观察。第二，透过镜片观察到的图像不能扭曲变形。测试图像是否扭曲，可以使用格子本的页面。用放大镜观察格子本的页面，尽量选择格子没

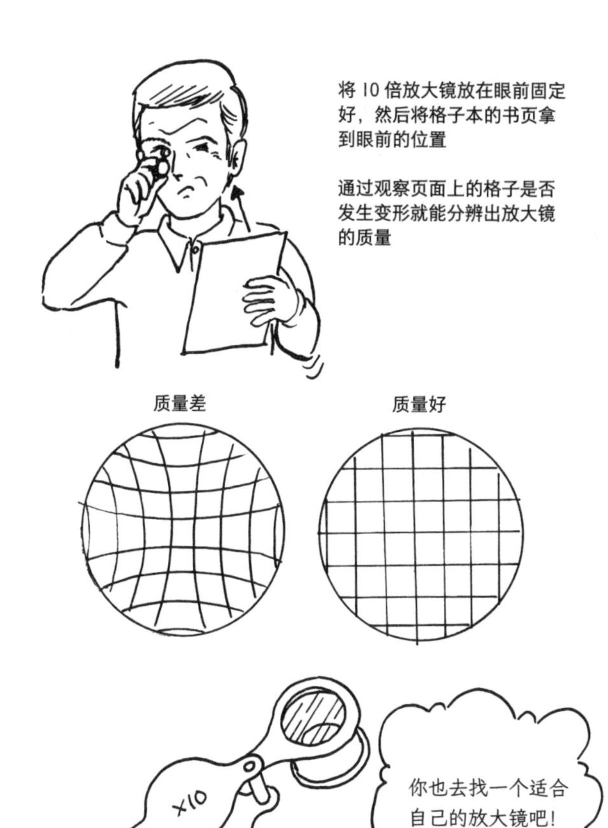
将10倍放大镜放在眼前固定好，然后将格子本的书页拿到眼前的位置
通过观察页面上的格子是否发生变形就能分辨出放大镜的质量
质量差
质量好
×10
你也去找一个适合自己的放大镜吧!

★………选择放大镜的方法

有发生严重变形的放大镜。当然，完全不变形是不可能的，能够在最大程度上保持原样的放大镜价格为3000 ~ 5000日元。

此外，还要掌握放大镜的正确使用方法。首先要将放大镜放在眼前，然后再将想要观察的东西拿过来靠近放大镜。当物体位于放大镜前2 ~ 3厘米时就能看得很清楚了。如果是路边的野花可以摘下来观察，但植物园或者自然保护区之中的花朵不能随意摘下，所以要靠近观察。虽然有时候可能要整个人都趴下去，但这也是研究花朵的礼仪。

蚂蚁也能利用：
斑地锦草

在公园和校园之中，阳光充足的地方，经常能够看到斑地锦草。

这种植物的花期很长，一年中有一多半的时间都在开花，但很少有人会注意到。只有蚂蚁会频繁地光顾斑地锦草的花朵。

蚂蚁也会吸食花蜜，但它们总是径直爬到花朵中间饱餐一顿，然后就原路返回到巢穴之中。由于蚂蚁的身体很小，所以它们在吸食花蜜时很少碰到雄蕊和雌蕊，而且就算身上沾到了花粉，蚂蚁也不会继续去其他的花朵，而是直接返回巢穴。所以从植物的角度

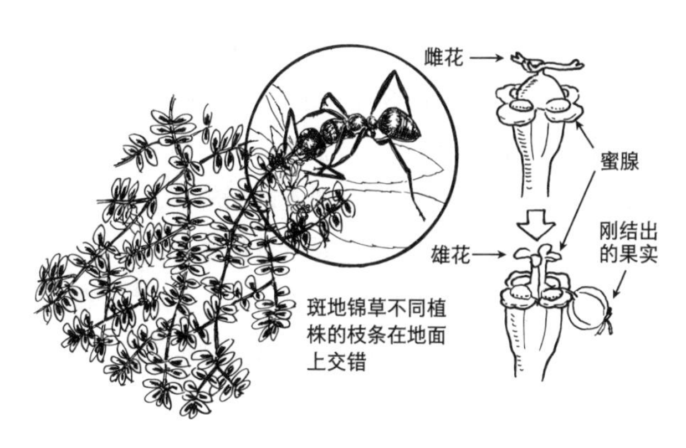

★………斑地锦草的花朵依靠蚂蚁传播花粉

来看，蚂蚁不会给它们带来任何帮助。绝大多数的花朵都不欢迎蚂蚁的到来。

在这一点上，斑地锦草是个特例。斑地锦草在叶片的两旁长出杯子形状的小花。因为斑地锦草的花朵长度只有1.5毫米，所以需要用放大镜才能看到在花朵的边缘有4个淡红色的蜜腺。植物学的教科书上对斑地锦草花的描述是“这个杯子是包裹许多花朵的花苞，雄花和雌花从里面伸出”，但实际上所谓的雄花就是一根雄蕊，雌花就是一根雌蕊。

当然这些复杂的内容只是植物学研究的范畴，蚂蚁根本不管那么多，蚂蚁只想要花蜜。所以蚂蚁会爬到一个杯子上吸食蜜腺，然后再去寻找下一个杯子。在这个过程中，位于杯口的黄色花粉就会沾到蚂蚁的身上。而斑地锦草的枝条在地面上纵横交错，与其他植株的枝条相互重叠，蚂蚁在吸食花蜜的过程中不知不觉地就将花粉带到其他植株的雌蕊上去了。

还有一种依靠蚂蚁来传播花粉的植物，叫作天胡荽。这是一种匍匐植物，从趴在地面的茎上长出像小斗笠一样的圆形叶片，然后从叶片的底部又长出纤细的花茎，从花茎的顶部开出许多小花。每个花朵有5片花瓣和5根雄蕊，被雄蕊包裹的雌蕊上面产生少量的花蜜。

Chapter 04 对抗食蚜蝇的巧妙策略

什么是食蚜蝇

有一次，我在植物园举办观赏会的时候，一只身上长着黑色和黄色条纹的昆虫朝一位女性的胸前飞去。

那位女性一边惊叫“蜜蜂”，一边挥手想把这只昆虫赶走，可被误认为是蜜蜂的昆虫却一直在周围飞舞，就是不肯离开。可能它将这位女性胸前黄色的纽扣误认为花朵了吧。

这只昆虫是食蚜蝇的一种，叫作黑纹食蚜蝇，并不会像蜜蜂那样蜇人。黑色和黄色的花纹是一种伪装，用来欺骗自己的天敌鸟类，让它们误以为自己是有毒刺的蜜蜂。

食蚜蝇是在野花上最常见的一种昆虫，它们并不属于蜂类，而是双翅目下属的苍蝇的近亲。前文中提到，花蜂的幼虫依靠其他成年花蜂带回的花蜜和花粉为食，而食蚜蝇的幼虫则要靠自己生存下去。比如，食蚜蝇的幼虫就是在山间车站的厕所等处依靠粪便为食的蛆虫，黑纹食蚜蝇的幼虫则以蚜虫为食。大水仙蝇正如其名字一样以水仙的球根为食。

因为幼虫能够自力更生，所以食蚜蝇的成虫就只需摄取自身生存和繁殖所需的能量，每天悠闲自在地舔舐花朵上的花蜜和花粉。或许是出于这种原因，食蚜蝇不擅长钻进花朵里面、倒立停留在花朵下面、在

★………舔舐辽吉侧金盏花花粉的黑纹食蚜蝇

花朵上进行复杂操作等行为。不过食蚜蝇也有自己的长处，那就是在相对较低的温度下也能够飞行。

花朵对于拥有上述特点的食蚜蝇类会采取怎样的对策呢？接下来就让我们一起来看一看吧。

使用凹面镜：辽吉侧金盏花

冬季室内阳光充足的情况下，隔几年就会发生一起因为凹面镜集中阳光引发火灾的事件。辽吉侧金盏花的花朵表面也很光滑，中间向内凹陷就像凹面镜一样。那么辽吉侧金盏花的这个凹透镜是想要点燃什么东西呢?

我为了记录到访辽吉侧金盏花的昆虫生态和气温而在早春时节来到植物园。我本以为只要辽吉侧金盏花开花，喜欢黄色花朵的食蚜蝇们就会络绎不绝地前来，结果却出乎我的意料。那天的气温上升得比较慢，直到下午我才看到有黑纹食蚜蝇飞来。当时距离地面1.5米高度的地方气温终于达到了12℃，花朵开放的地表附近在阳光的照射下差不多能达到15℃。15℃是食蚜蝇类能够活动的下限温度。

辽吉侧金盏花没有花蜜，只有许多雄蕊发出的花粉可以当作食物。在食物比较匮乏的早春，这些花粉对黑纹食蚜蝇来说也是非常宝贵的。在食蚜蝇舔舐花粉的时候，花朵会利用花瓣组成的凹面镜反射阳光来温暖食蚜蝇。虽然我想用温度计测量一下食蚜蝇的体温，但在植物园里不允许用捕虫网捕捉昆虫，于是我只能换一种方式，用温度计测量花朵中心的温度。结果发现花朵中心的温度比周围更高，能够达到16℃~20℃。在舔舐花粉的同时，食蚜蝇的身体也得到了温暖。

身体暖和起来的食蚜蝇，就会变得更加活跃。和人类社会一样，与工作拖拖拉拉的大多数劳动者相比，工作效率高的少数劳动者能够更快地完成工作。辽吉侧金盏花似乎也懂得这一点，通过花瓣凹面镜来点燃食蚜蝇的生命之火。

与凹面镜相同原理的射电望远镜能够将遥远天体发出的微弱电波集中于一点，对宇宙的彼端进行观测。射电望远镜还能够配合天体的运行缓慢地转动。辽吉侧金盏花也同样能够配合天体的运行转动。

在梅花依然开放着的早春，辽吉侧金盏花因为开在地面上所以并不能转动。但随着时间的推移，辽吉侧金盏花的花茎会逐渐长高，花朵下方长出像欧芹一样细小的叶片。这个时候，辽吉侧金盏花的花朵就会像卫星电视的天线一样追着太阳转动，保持花朵中心的温度。

北海道大学的工藤岳先生认为辽吉侧金盏花集中光线除了温暖昆虫之外或许还有其他的作用，于是他做了一个有趣的实验。他先给辽吉侧金盏花的雌蕊进行人工授粉，然后将一组花朵的花瓣剪掉，另外一组则保留原样，等待花朵长出种子。结果被剪掉花瓣的一组长出种子的概率只有50%，而花瓣保留原样的一组长出种子的概率有70%。从这个实验的结果可以看出，辽吉侧金盏花的花瓣不但能够给昆虫带来温暖，还能温暖雌蕊，提高结种概率。

或许有人会说，既然如此，那再晚点开花，等待气温更高的时候不就好了吗？但野生的辽吉侧金盏花却有一个不得不尽早开花的理由。那就是它们大多生长在落叶树林之中，如果开花太晚，落叶树的树叶都

★………辽吉侧金盏花收集阳光的“卫星电视天线”

长出来了就会遮挡住阳光，让辽吉侧金盏花无法进行光合作用，完全无法长出种子。

对辽吉侧金盏花来说，没有阳光就意味着死亡。所以它们才会趁着落叶树木尚未枝繁叶茂的早春时节绽放花朵，用“卫星电视天线”拼命地收集阳光，温暖帮忙搬运花粉的昆虫和雌蕊。

我的失败：
阿拉伯婆婆纳（一）

每当早春时节看到野外开满了阿拉伯婆婆纳，就让我切实地感到又是一年春再来，同时也产生想要写一些东西的责任感。

我第一个进行生态调查的植物就是阿拉伯婆婆纳。这种植物的花朵像一颗蓝色的四角星，底部呈矮小的筒形，其中长满了细细的绒毛，花蜜也在里面。食蚜蝇和蜜蜂会来吸食花蜜与花粉。

傍晚时分，阿拉伯婆婆纳的花瓣就开始闭合。此时，花朵中雄蕊的前端似乎就会与雌蕊接触。观察到这一步的时候，我认为接下来花朵应该就凋零了吧。随后我又对来采集花蜜的昆虫进行了调查，并且在1961年将“昆虫在白天的时候来授粉，傍晚雄蕊接触到雌蕊之后花朵凋零”的内容发表在《采集与饲育》杂志上。后来，我在1974年出版的《花与昆虫》一书中，也写了同样的内容并且搭配了照片。实际上这是我在没有充分观察的情况下得出的错误结论，但由于阿拉伯婆婆纳的花朵有这种非常有趣的现象，所以我的描述得到了广泛的关注，许多书籍和杂志都引用了我的这番话，甚至还遭到了二次引用，于是这个错误的结论就越传越广。

但我在1975年3月再次观察阿拉伯婆婆纳的花朵时，却发现了一个奇怪的现象。那就是有的花朵刚刚开放雄蕊就枯萎了，没有花粉。这说明昨天开放的花朵并没有凋零，到了今天还在继续开放。

为了确认这件事，我在3年后做了一个实验。3

月11日的午后，我前往距离自己家20分钟车程的郊外一处开满了阿拉伯婆婆纳的花田。我在花田中画出一片边长30厘米的正方形区域，将这片区域中已经开放的花朵全部摘掉。这样一来，在这片区域中就没有正在开放的花朵了。

第二天一早，我再次来到这片区域，将其中开放的花朵都挂上标签。这些花应该都是当天早晨刚刚开放的，全部有22朵。到了傍晚时分我又去确认了一遍，没有凋零的花朵。然后又过了一天，当我一大早去检查的时候，发现被我挂上标签的花朵只有1朵凋零了，还剩下21朵。到了第三天早晨，挂有标签的花朵仍然还有10朵。这说明第一天开放的花朵有接近一半都连续3天闭合又打开。

虽然到了第三天傍晚的时候，所有被我挂上标签的花朵都凋零了，但这至少证明了"昆虫在白天的时候来授粉，傍晚雄蕊接触到雌蕊之后花朵凋零"这个结论是错误的。我马上将这个结果发表在了我当时担任编辑的杂志《野外观察》（贝隆馆）上。虽然我后来只要有机会就澄清这件事，但还是有很多人认为阿拉伯婆婆纳是到了晚上就会花瓣闭合自花授粉然后凋零的一日花。

我在《花与昆虫》一书中还犯了一个巨大的错误。那就是在介绍苦荬花的时候，说它和阿拉伯婆婆纳一样，都是白天通过昆虫授粉，傍晚雄蕊靠近雌蕊

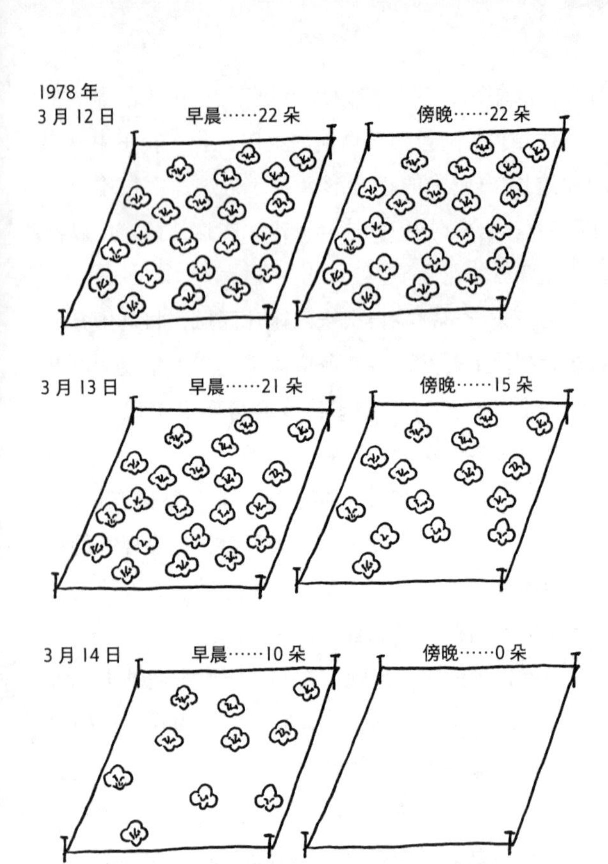

★………发现阿拉伯婆婆纳连续开放 3 天的实验

自花授粉。因为根据我对苦荬花的生态观察，确实如此。但后来我在查阅文献的时候发现，东北大学的冈部作一先生在1932年就已经指出“苦荬是单性生殖的植物”。

所谓单性生殖的植物，指的是植物不需要受精，将母体的细胞直接变为种子的生殖方法，雌蕊即便没有接受到花粉，也能够产出与母亲拥有相同遗传基因的克隆种子。我在《花与昆虫》中的描述是苦荬花在授粉之后才能产生种子，这是错误的。万幸的是，人们对苦荬这种植物的关注度不高，所以这部分的错误内容并没有得到广泛的流传。

除此之外，我还有一次失败的经历。那是我高中毕业两年后的事，当时我得知白花蒲公英是单性生殖的植物，于是就用院子里开黄花的蒲公英也做了一下实验。结果发现这种开黄花的蒲公英也是单性生殖。我的这个新发现被发表在了1953年的《采集与饲育》杂志上。结果冈部先生寄给我一张明信片，上面写着“你做实验用的可能是药用蒲公英”。而药用蒲公英是单性生殖的植物这件事可以说是众所周知。这件事距今已经过去60多年了，冈部先生给我寄来的这张明信片一直被我小心地夹在笔记本中保存着。

授粉的机制：阿拉伯婆婆纳（二）

开出蓝色小花的阿拉伯婆婆纳，会用一种巧妙的机制让昆虫帮忙搬运花粉。这个巧妙的机制包括两个点：一个是纤细的花柄，另一个是用于支撑雄蕊花粉

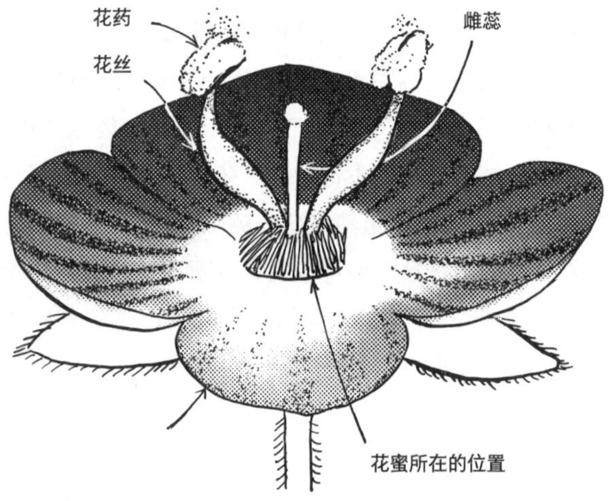

★………食蚜蝇与阿拉伯婆婆纳的花

袋的花丝两端比中间更窄。

当食蚜蝇降落在阿拉伯婆婆纳的花朵上时，纤细的花柄就会因为重量而弯曲使花朵发生倾斜。食蚜蝇和蜜蜂的体重基本相同，大家知道它们有多重吗？一只大约0.1克，十只加起来才勉强和一枚1日元的硬币一样重。这么轻的食蚜蝇落在花朵上都能将花柄压弯，可见花柄有多么纤细。当花朵发生倾斜时，食蚜蝇为了不让自己掉下去，就只能用脚紧紧抓住位于花朵中央的雄蕊和雌蕊。

但因为食蚜蝇抓住的雄蕊的花丝根部也很细，所以整体发生倾斜的花药就会从左右两边对食蚜蝇呈夹击之势。因为连接花药部分的花丝也很纤细，所以阿拉伯婆婆纳的花药也会像吸尘器的刷头一样紧密地贴合在食蚜蝇的身上，将白色的花粉满满地涂在上面。而食蚜蝇身上沾满的花粉，也会在它舔舐花蜜的时候被带到位于花朵中央的雌蕊的前端。虽然这是经过漫长的进化才演变出来的方式，但确实让人感觉非常巧妙。

调查花朵的性别：八角金盘（一）

高中三年级的时候，我对八角金盘花朵的性别变化产生了兴趣。在校园的角落里经常能见到这种花，我首先做的实验是用袋子将这些花朵套住，阻止昆虫前来授粉。

在初冬温暖阳光的照射下，八角金盘在繁茂的叶片上长出了巨大的圆锥形花穗，花穗上长出许多圆溜溜的花朵。这些花朵一群一群地聚在一起，有四五十朵。每朵花都有五枚花瓣和五根雄蕊，被包围在中间的淡黄色雌蕊上面是闪烁着光点的花蜜。

开花两三天之后，花瓣和雄蕊就会掉落，只剩下雌蕊还留在花朵上，同时因为雌蕊不再产生花蜜，也没有昆虫前来。但此时的花朵并没有凋零。又过了几天之后，雌蕊上会再次产生透明的花蜜，而且位于中心的五根雌蕊也会向上伸出，长度刚好能够碰触到前来舔舐花蜜的昆虫腹部。

高中毕业后，为了更加详细地了解八角金盘的特性，我又做了进一步的实验。这次我同样用塑料袋将花朵套了起来阻止昆虫前来，然后人工给雌蕊授粉。但我发现当雄蕊还在的时候，给雌蕊授粉并不能长出果实，而在第二次产生花蜜的时候，给雌蕊授粉则能够长出果实。通过这个实验，我发现八角金盘的花朵会从雄蕊产生花粉的雄性状态转变为雌蕊接受花粉的雌性状态，也就是会发生性别转换。

随后我又进行了几次实验，发现八角金盘的花不仅能够发生性别转换，而且在一个圆锥形的花穗上，最后开放的花朵全都是雄花。虽然从外表看来，这些

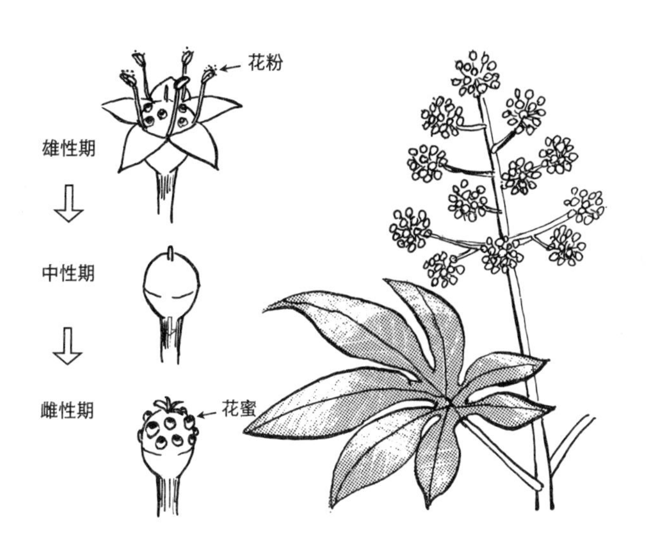

★………八角金盘花朵的变化

花朵既有雄蕊也有雌蕊，是两性花，但当花瓣与雄蕊凋零之后，雌蕊也很快跟着凋零。我试着在这些花朵的雌蕊上涂抹花粉，但也没有结出果实。最后开放的这些花朵之所以全都是雄花，可能是因为后续没有再开放的花朵，也不会有足够的花粉来对雌蕊授粉，变成雌性状态完全是浪费能量，所以花朵自动省略了这个步骤。

晒太阳的虫子：八角金盘（二）

都有哪些昆虫来八角金盘的花朵上吸食花蜜并搬运花粉呢？通过对花朵的观察，我发现主要是有黑色和黄色花纹的食蚜蝇类以及黑色的宽丽蝇前来舔舐花蜜。而且只要是晴朗的天气，即便温度稍低，它们也会来。

在介绍辽吉侧金盏花的时候，我提到食蚜蝇类活动的最低温度是15℃，但那天八角金盘的花朵所在高度的气温只有13℃。于是我用捕虫网抓了一些来采集花蜜的食蚜蝇、灰带管蚜蝇以及宽丽蝇并测量了它们的体温。

我使用的是一种温度传感器，在这个传感器的前端是一个直径1.5毫米的玻璃球，其中的传感零件能够测量接触物体的温度。只要将这个玻璃球放在昆虫的胸部和腹部之间夹住，就能测量昆虫的体温。当我在1976年进行测量时，还没有数字化的传感器，我只能通过指针来判断温度。测量的结果显示，花朵上的灰带管蚜蝇的体温比气温高9℃，达到了22℃。

八角金盘的花朵不像辽吉侧金盏花那样能够反射阳光。那么这些昆虫是怎样升高体温的呢？通过观察发现，当昆虫趴在花朵上舔舐完花蜜之后，会停留在附近的叶片上晒太阳。八角金盘厚实的叶片的表面温

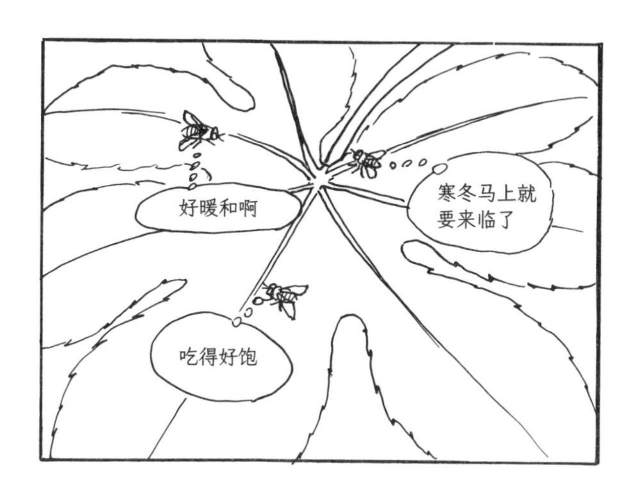

如果用手指把昆虫捏得太紧，
人体的温度就会传递给昆虫，
这一点必须注意！

★………晒太阳的食蚜蝇（上图）　测量昆虫的体温（下图）

度能够达到20℃，昆虫们在温暖的叶片上让身体暖和起来之后，又会到下一朵花上舔舐花蜜。

这些昆虫在冬季来临之前最后开放的八角金盘的花朵上吸食花蜜，储存越冬的体力。八角金盘也作为初冬时节唯一开放的花朵，利用生活在周围的昆虫们帮助自己搬运花粉。

昆虫的餐桌礼仪教室：滨菊

如果比自己优先度更高的昆虫前来，自己就要让出位置。据说这是昆虫社会中的餐桌礼仪。让我们以初夏时节绽放的滨菊为例，学习一下来采集花蜜的昆虫们的餐桌礼仪吧。

滨菊花朵中央黄色圆盘的部分有许多红酒杯形状的小花，花蜜就在这些酒杯里面。东北大学的菊池俊英先生对前来采集花蜜的昆虫进行了观察，发现同一朵花上不会同时存在两只食蚜蝇。当已经存在一只食蚜蝇的时候，要么是后来者转而飞去寻找其他的花朵，要么是原来的那只主动飞走让出位置。

菊池俊英先生对上述两种情况的许多实例进行了非常详细的观察和记录，结果发现在食蚜蝇类之间存在采集花蜜的优先顺序关系。后页的插图一目了然地展示了这种关系。

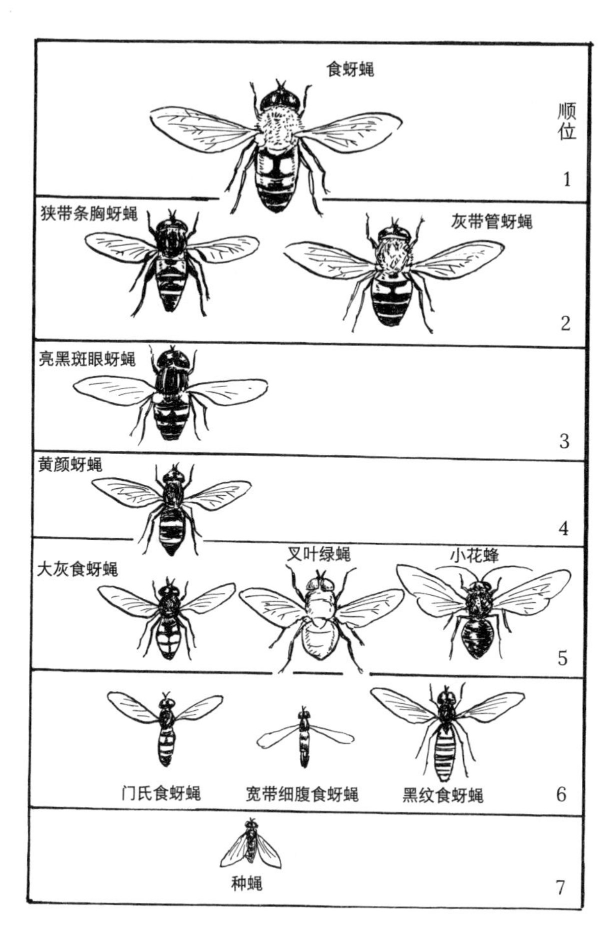
食蚜蝇
顺位
1
狭带条胸蚜蝇
灰带管蚜蝇
2
亮黑斑眼蚜蝇
3
黄颜蚜蝇
4
大灰食蚜蝇
叉叶绿蝇
小花蜂
5
门氏食蚜蝇
宽带细腹食蚜蝇
黑纹食蚜蝇
6
种蝇
7

★………食蚜蝇类的优先顺序

比如，亮黑斑眼蚜蝇在遇到比自己优先度更高的灰带管蚜蝇和食蚜蝇的时候就会主动飞走，但如果来的是比自己优先度更低的门氏食蚜蝇和黑纹食蚜蝇的话，就会继续吸食花蜜。据说这种餐桌礼仪即便在其他的花朵上也奏效。正因为有这样的餐桌礼仪，所以体形较大的昆虫会挑选花蜜比较多的大花朵，体形比较小的昆虫则会选择花蜜相对较少的小花朵。

用水传递花粉：
睡莲

我在参加群马、福岛、新潟三县联合的尾濑综合学术调查时，曾经连续三年前往尾濑，但每次睡莲的花期都会赶上下雨，导致我无法充分调查。幸运的是调查时间延长了一年，这次我终于在睡莲的花期等到了一个好天气。

睡莲是日本野生的植物，很多植物图鉴上都说它们在下午2点左右开花。但根据我在尾濑的观察，睡莲从上午11点左右就相继开放，到下午2点左右正是盛开的时候，然后到了下午4点之后就开始闭合，每天都这样循环。

我给开放在木栈道旁边的睡莲花都挂上编号，然后每天都去观察，记录它们发生的变化。

开花的第一天，从水中伸出的花蕾会展开白色的

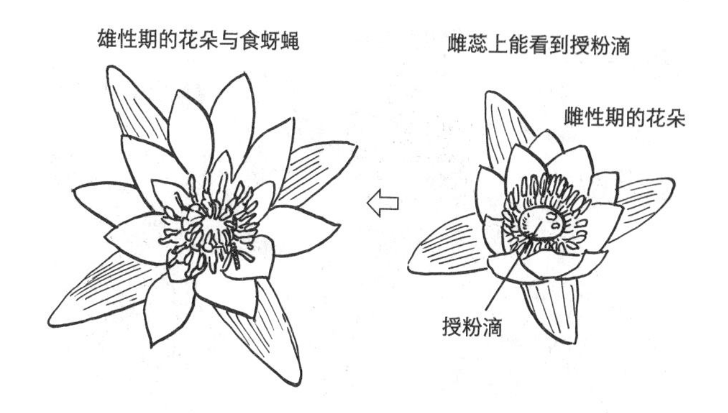

★………睡莲的花朵

花瓣。这个时候在花朵的中心有许多被称为授粉滴的液体。像杜鹃和月见草之类的花朵，就会用授粉滴将雌蕊的前端湿润，使其更易于沾染花粉。山百合的这种分泌液也很多，甚至多到让人以为会滴落下来。但上述这些植物的授粉滴与睡莲的授粉滴完全无法相提并论，睡莲花朵上的授粉滴直径能够达到七八毫米。在容纳授粉滴的花碗周围，围绕着四五十根黄色的雄蕊。这些雄蕊产生淡黄色的花粉。食蚜蝇类会前来吸食这些花粉。在吸食花粉时，沾在它们身上的花粉就会掉落在下方的授粉滴上完成授粉。到了傍晚，睡莲的花朵就会闭合。

到了第二天，花朵再次开放。最初在花朵的中心还能看到授粉滴，但很快周围的雄蕊就会向内侧弯曲形成一个圆锥形的天幕，将中心部分盖住，这时的花

★………睡莲的聚集地

朵处于雄性状态。

到了第三天或者第四天的时候，花朵仍然会开放，但会一直保持雄性的状态。由此可见，在刚开花的时候接受到的花粉，被授粉滴吸收之后抵达了位于液体底部的柱头。但这只是目前的推测，并没有得到确认。

倒吊的花朵：三白草

在梅雨季节，三白草的花茎前端的叶片会变白，然后从旁边长出花穗。

这个花穗上的花朵不长花瓣，只有一根雌蕊及其周围的六七根雄蕊组成一朵花。这些花朵聚集在一起，组成一个前端倒垂下来的长长的花穗。

三白草的花朵在花穗的最高点，也就是弯曲的部分盛开。连接花蕾的花穗新长出来的部分的中轴虽然也是朝下的，但在花朵成熟之后，中轴就会直立起来。开花的部分在逼近弯曲的最高点时就会开始产生花粉。而到了中轴直立的时候，花朵就会停止授粉活动。也就是说，从整个花穗的角度来看，花朵总是在花穗的最高点开放。

那么这种特性会给三白草带来怎样的好处呢？

三白草的花朵虽然没有花蜜，但是食蚜蝇会来舔

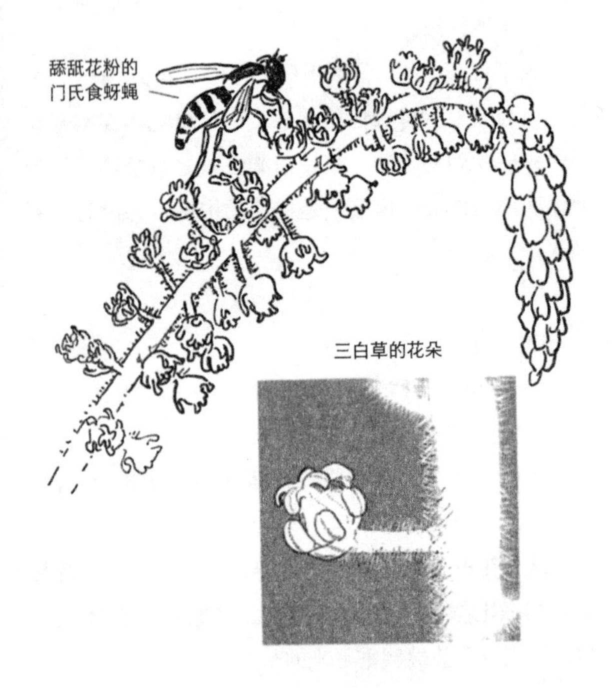

★………三白草的花穗与食蚜蝇。右下是花朵的扩大图

舐花粉。食蚜蝇不擅长倒吊在花朵上觅食，因此当它们来到三白草花朵上的时候，会落在花穗的最高点。而因为三白草的花朵刚好在花穗弯曲的最高点盛开，所以食蚜蝇就能直接吃到花粉。

昆虫们会优先选择容易吃到的食物，像三白草这样不需要麻烦的前期工作就能直接吃到花粉的花朵一定深受食蚜蝇们的喜爱，所以它们会频繁地前来一饱口福，结果自然就是给三白草极大地增加了繁殖的机会。

充满谜团的花：水芭蕉（一）

在江间章子作词的歌曲《夏日回忆》之中提到了尾濑，尾濑地区也因此声名大噪。那么同样出现在这首歌之中的水芭蕉究竟是怎样传播花粉的呢？关于这个问题却从没有人思考过。

1988年，我陪同电视台的工作人员前往福岛县的仁田沼拍摄水芭蕉。当时的高清摄像机必须与重达9吨的编辑录像专用车连接在一起使用，所以我们拉了一条长达1千米的线缆，进入水芭蕉开放的湿地深处。节目导演村田真一问我："这种植物以什么为媒介传播花粉呢？"

虽然一靠近湿地就能闻到水芭蕉散发出的香气，再加上显眼的白色花瓣，都彰显出虫媒花的特征，但我还是回答"不清楚"。在摄影师拍摄湿地的环境以及水芭蕉花朵的姿态时，我在周围转了转，观察究竟有哪些昆虫来采集花蜜。但除了偶尔飞来的黑色苍蝇之外，再也没有见到其他的昆虫。

跟随电视台去拍摄之后的第二年，我又独自一人前往位于福岛县的那片湿地，调查了去水芭蕉那里采

★………水芭蕉的花朵与苍蝇

集花蜜的昆虫。我在整片湿地转了一圈，观察了大约2744朵花，结果发现停留在上面的昆虫只有27只蝇类以及5只其他昆虫。后来在进行尾濑综合学术调查时，我顺便观察了水芭蕉的花朵。后来我在1928朵花上发现了47只苍蝇。根据上述的调查结果，我初步判断：水芭蕉依靠苍蝇来搬运花粉。但水芭蕉的花朵上没有花蜜，苍蝇也不吃花粉。那么它们为什么会停留在水芭蕉的花朵上呢？

“你能画出水芭蕉的花朵吗？你知道花朵是什么颜色吗？”能够正确回答这两个问题的人一定非常少吧。水芭蕉的白色花瓣在植物学上叫作“花苞”。花苞的作用是包裹花蕾与花穗，起到保护的作用。但水芭蕉的花苞因为颜色十分醒目，还起到引诱昆虫前来的作用。花店中出售的马蹄莲和水芭蕉一样，同属于天南星科的植物，也因为拥有美丽的花苞而大受欢迎。

从植物学的角度来说，水芭蕉的花其实是在花苞前面的那个淡绿色的花穗。每朵花的直径3.5 ~ 4毫米，只有4片不怎么显眼的绿色花瓣保护着雄蕊和雌蕊。在花瓣的内侧有1根雄蕊，能够产生黄色的花粉。在花朵的中心有1根圆锥形的雌蕊，接受花粉的地方只能看到一个很小的点。

我在尾濑观察的时候，有一次遇到强风，花粉像烟雾一样被风吹走。看到这一幕，我不由得想到水芭蕉可能是借助风力来传播花粉。第二年，我就为了验证这个猜想而进行了调查。

要想了解风力授粉的情况其实非常简单，只要在用于显微观察的载玻片上面粘贴双面胶，然后将其暴露在空气中，观察附着在上面的花粉情况即可。

结果发现，在经过28.5个小时后，设置在花穗旁边30厘米距离的载玻片上，每1平方厘米有241个花粉。因为接受花粉的柱头直径大约0.4毫米，所以根据其表面积与载玻片上附着的花粉数量进行计算，可以得知经过一昼夜的时间，大约有13%的柱头上能够获得至少1个花粉。由此可见，水芭蕉确实是通过风力来传播花粉的。

不过，关于水芭蕉的授粉方法后文还有介绍。这种植物还有同花授粉这最后的手段。关于这部分内容，我将在第十章中继续为大家介绍。

Chapter 05 甲虫媒花是原始的吗？

被称作原始花朵：厚朴

以前的植物学家们认为，厚朴的花朵因为拥有非常原始的特征，所以来拜访这些花朵的一定也是原始的昆虫。

厚朴的花朵拥有非常多的雄蕊和雌蕊，在花朵的中央呈螺旋状排列，这些都是原始植物所拥有的特征。

花朵中雄蕊的排列顺序难以分辨，但雌蕊的特征比较明显。虽说是螺旋状，但并不是像贝壳和螺蛳那样只有一条旋转的线，而是好像许多根线纠缠在一起组成的螺旋。因为具有这种非常原始的特征，所以植物学家们也一直认为搬运花粉的昆虫应该是甲虫这种原始的昆虫。

1986年，曾任富山大学教授的河野昭一先生策划了一套四册的《植物的世界》，委托我帮忙取材，因此我得到了近距离观察厚朴花朵的机会。负责出版本书的教育社在秩父山中修建了一个混凝土的地基，在上面搭建了11米的高塔。位于塔顶的观察台比厚朴的树冠更高，我就在这座高塔上面观察厚朴的花朵从开放到闭合的变化，并记录来访的昆虫。

厚朴的花朵在3天的时间里重复开放和闭合的过程，并且从雄性的状态转变为雌性的状态。而在高

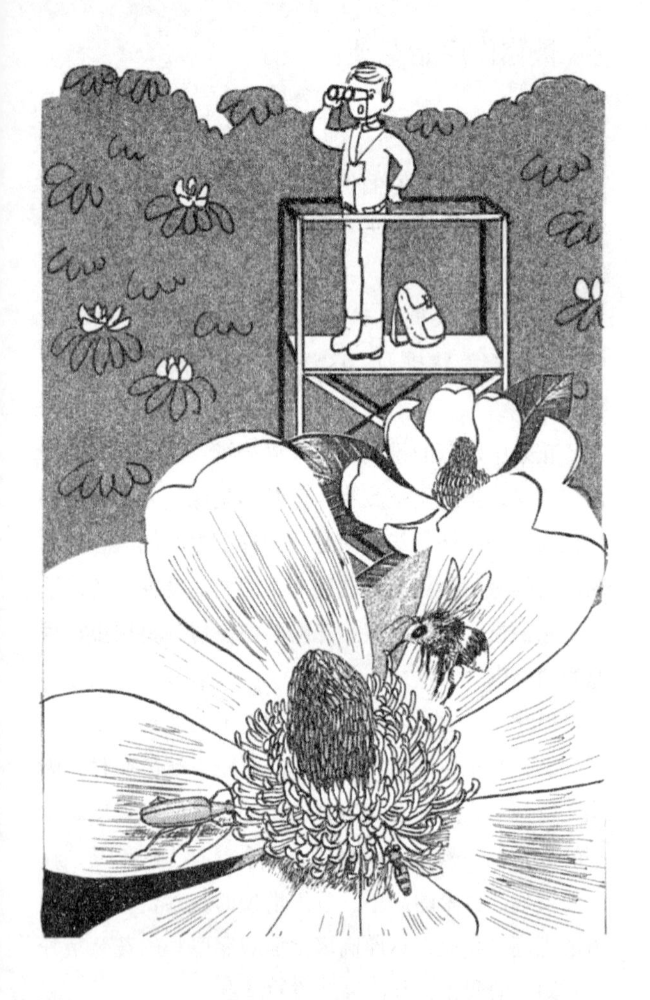

★………站在高塔上观察厚朴的花朵

达11米的树枝上，厚朴的花朵也有自己吸引昆虫的策略。

在花朵开放的前一天，绿色的花蕾会逐渐变成白色。第二天一早如果是晴天的话，到上午10点左右花朵就会开放。但此时开放的花朵看起来就像是一个茶杯的形状，向里面望去能够看到许多紫色的雌蕊。紫色的部分是雌蕊用来接受花粉的凸起。此时的气温都在20℃以上。

厚朴的花朵到了傍晚就会闭合，作为雌花的一天也就此结束。但因为花蕾在阴天和下雨的时候不会开放，所以雌蕊就会被封闭在花朵里面。这个时候，花朵无法发挥雌性的功能，直到第二天转变为雄性的状态之后再次开放。

开花第二天，花朵会开放得比第一天更大，形状像一个汤盘，直径接近20厘米。第一天紧紧地贴在中轴上的雄蕊也发育成熟，并开始产生花粉。此时如果昆虫轻轻地碰触雄蕊，雄蕊就会不断地向外撒落花粉。花蜂类、食蚜蝇类以及甲虫类都会前来舔舐或者采集雄蕊上掉落的花蜜。汤盘形的花瓣俨然成了昆虫们享受花粉的餐盘。

第二天的傍晚，花朵再次闭合，到了第三天继续开放成汤盘形，剩余的雄蕊继续提供花粉。到了第三天夜晚花瓣就不再闭合，并且随着时间的流逝而逐渐变为褐色，最终凋零。

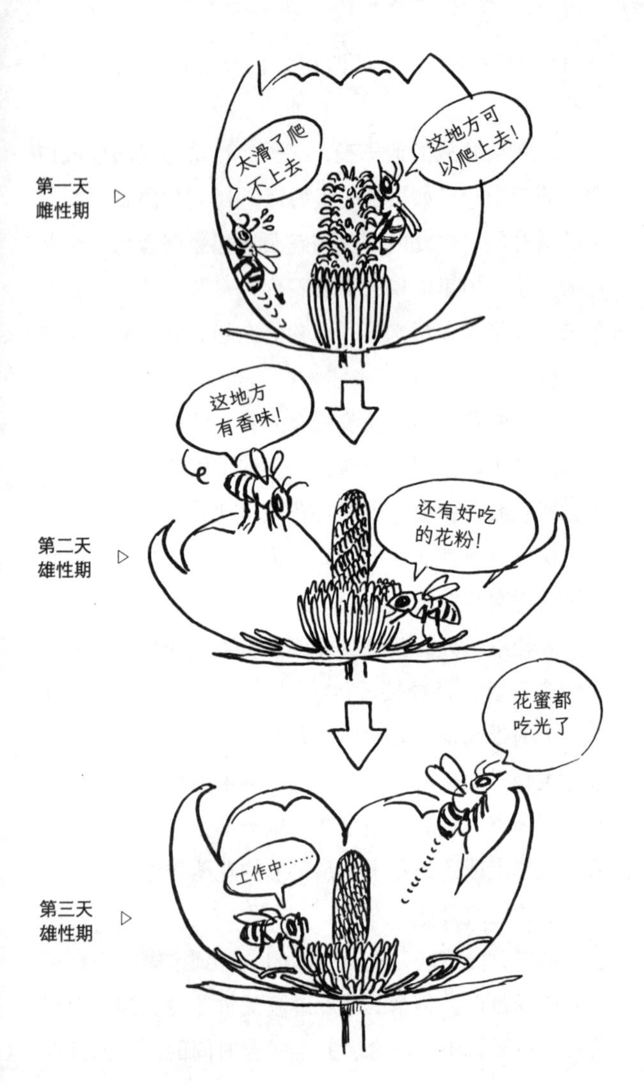
第一天
雌性期
太滑了爬不上去
这地方可以爬上去！
这地方有香味！
第二天
雄性期
还有好吃的花粉！
花蜜都吃光了
工作中……
第三天
雄性期

★………厚朴花朵的三阶段变化

因为厚朴的花朵是从雌性的状态转变为雄性的状态，所以花粉无法传递到同一朵花的柱头上。但因为1棵厚朴树上会同时开放10 ~ 30朵花，还是有可能出现同一棵植株的花朵近亲交配的情况。但森林综合研究所的石田清先生最近利用DNA分析进行的研究发现，新长出来的厚朴树苗基本上都是不同的植株交配后产生的种子成长出来的。或许厚朴的花朵在生理上存在阻止同一棵植株的花粉产生种子的机制吧。

为了搞清楚都有哪些昆虫来访这种花朵，我和当时东京大学的矢原徹一先生一起展开了调查。我们在对比来访昆虫的次数后发现，食蚜蝇类占50%、花蜂类占38%、甲虫类占12%，蝴蝶类只来过一次。这个结果说明即便花朵的形态比较原始，但认为来访的昆虫也多是原始种类的说法是错误的。

我们观察这些昆虫的行为后发现，甲虫虽然也会吃花粉，但它们经常在花朵中停留很长时间，有时候甚至40分钟都一动不动。如果在同一朵花上停留太长时间，传播花粉的机会就会减少。而来访次数更多的食蚜蝇类也会停留在花朵上悠闲地舔舐花粉。频繁地在花朵之间来回移动的只有花蜂类之中的小峰熊蜂。它们会迅速地收集花粉，然后立即飞往下一个目标。拥有这么高的行动力才能将花粉搬运到相隔十几米远的另一棵树上。由此可见，对厚朴的花朵来说，小峰熊蜂是最重要的花粉搬运工。

★………厚朴的花朵

厚朴花的雌蕊只有在开花的第一天接受花粉。但这种花没有花蜜，开花第一天的时候无法给昆虫们提供任何食物，那么厚朴花究竟是怎样吸引昆虫前来的呢？厚朴花在雌性时期也会散发出浓郁的香气，让昆虫以为花朵中有食物。而厚朴花开放第一天的时候呈口小肚大的茶杯形，花瓣内部还充满了黏滑的液体，被骗进来的昆虫很难从花瓣上爬出去。于是昆虫只能选择更加易于攀登的雌蕊来逃出陷阱。此时，如果昆虫身体上沾有花粉的话，就肯定会传播到雌蕊上。根据我在高塔上的观察，即便是头脑比较聪明的小峰熊蜂也会被骗进雌性状态的花朵中。不得不说这真的是非常绝妙的方法。

这项调查始于1986年，当时世界上针对热带雨林的调查也刚刚开始。如今，在林冠之上的高度对树林进行研究已经是必备条件，2000年刊行的《日本生态学会志》中就用28页的篇幅刊登了“林冠研究：通往林冠的方法与生态学的意义”的专题。在这个专题中介绍了徒手爬树、绳索攀爬、梯子攀爬、攀爬架等上到林冠之上的方法。

河野先生组建的《植物的世界》的团队早在十几年前就采用了类似攀爬架的方法，可以说是走在了时代的前沿。而当时我用过的那座高塔，现在应该也被更多的研究者更加广泛地利用吧。

与厚朴同属的还有日本辛夷和木兰。这些花朵都会散发出浓郁的香气。而且也和厚朴一样，雄蕊与雌蕊呈螺旋状排列，还有甲虫前来舔舐花蜜。对日本辛夷和木兰来说，或许遵循“原始的花朵搭配原始的昆虫”这一规律吧。

甲虫与花朵的关系

甲虫指的是像独角仙和金龟子之类拥有坚硬翅膀的鞘翅目昆虫。

甲虫在昆虫的进化史上比蝶类和蜂类更加古老，被认为是促使原本依赖风力传播花粉的花朵进化为虫媒花的关键。但因为甲虫的进化速度非常缓慢，被后来的蝶类和蜂类超越，结果现在反而被称为“原始的昆虫”。

在野外的花朵上常见的甲虫主要有叶甲类、露尾甲类、花金龟、拟天牛类等。与前文中提到过的蝴蝶类、花蜂类、食蚜蝇类相比，甲虫类在同一朵花上停留的时间很长，不能有效地搬运花粉。

在热带的非洲，存在嘴巴比身体更长、能够从很深的花筒之中吸食花蜜的甲虫，但日本的甲虫全都是短嘴巴。因此，日本的甲虫只能吃露在外面的花蜜和花粉，而且它们不擅长飞行，降落的时候就好像掉下来一样。所以它们经常去厚朴和木兰那样大大地朝上开放的花朵，以及像水芹和蜂斗菜那样许多小花聚集在一起的花朵上采蜜。

不过，一种叫高岭蜻蜓兰的兰花以及开黄色小花的猫爪草都是依赖一种叫作光亮拟天牛的甲虫来搬运花粉。

我在千叶县的多古町观察猫爪草的时候，发现来采蜜的昆虫有98%都是光亮拟天牛。在我观察的时候，就有好几只光亮拟天牛身上带着花粉在花朵之间频繁地移动、舔舐花蜜。

绝佳的约会地点：鹅掌草

昆虫为了繁衍后代而寻找异性时，除了要释放

★………前来约会的甲虫

吸引异性的信号之外，还要知道能够与异性相遇的场所。

蝴蝶会用翅膀上的花纹发出信号，萤火虫则利用自身的光亮来发出信号。蛾会释放出气味，蝉和蟋蟀通过声音来吸引异性。最近的研究发现，雄性蜜蜂会聚集在特定的空间飞舞，等待蜂王前来交尾。前文中也提到长须蜂会在匍茎通泉草的周围徘徊，等待异性的来临。

甲虫们也有众所周知的约会胜地。在春季的树林中开放的白色鹅掌草就是其中之一。光亮拟天牛有时候就会降落在鹅掌草的花瓣上。但它不去吃雄蕊上的花粉，也不飞走，只是头朝外一动不动地等待着。从它粗壮的后腿可以看出这是一只雄性甲虫。显然它是在等待前来品尝花粉的雌性甲虫。要是能等到一个漂亮的异性前来就好了。

鹅掌草的花朵对其他的甲虫来说也是绝佳的约会场所。这种花直径两厘米左右，有五至七片白色的花瓣，虽然没有花蜜，但位于花朵中心的四五十根白色的雄蕊能够提供大量的花粉。这些花粉对于需要产卵的雌性甲虫来说是必不可少的营养来源。

蓝色九节跳甲也将鹅掌草当作约会的场所。而体长大约四毫米的小叶甲们也经常将鹅掌草的花朵作为社交舞台。

作为甲虫们的约会胜地，鹅掌草给人留下最深刻印象的就是会随着太阳的移动而自东向西转动。

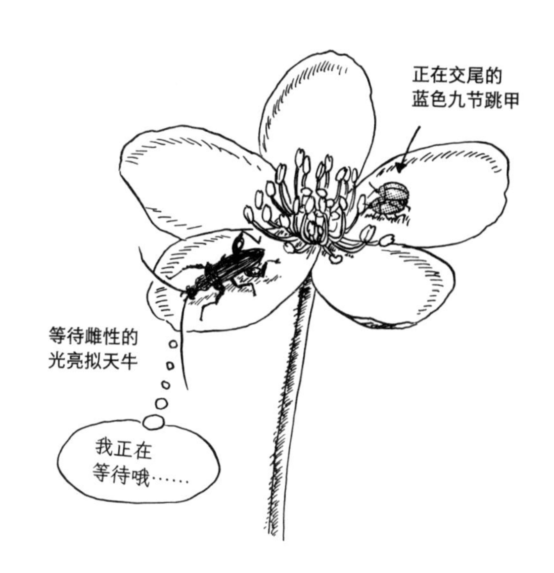

★………大受欢迎的约会胜地（♪两个人的鹅掌草）

Chapter 06 花朵与昆虫的战斗

野凤仙花的敌人

1960年秋，我为了调查花朵的生态而第二次观察了野凤仙花。在东京八王子一条细长的河流旁边开满了紫红色的野凤仙花，许多昆虫飞来飞去。其中黑黄蜂的奇怪举动引起了我的注意。它们并没有停留在花朵前面，而是将嘴巴凑近花朵后面的旋涡部分，这一部分名为花距。

因为野凤仙花的花蜜就位于花距中，所以我认为这些黑黄蜂在咬破花距之后，偷吃了其中的花蜜。经过检查之后发现这些花距上果然有细长的破口。然而花距上的破口与黑黄蜂的体积相比，未免有些太大了，于是我又猜测这可能是木匠蜂干的好事，便在周围寻找木匠蜂的踪迹，结果却一无所获。经过仔细检查，我发现大约有接近一半的花朵都在花距部位有破口，但因为当时天色已晚，我没有继续观察下去。

第二周的周日，我再次来到这条小河边。这次我发现来拜访的昆虫变成了木匠蜂。这只身长超过2厘米的巨大昆虫“唰”地落到野凤仙花上，然后用它又尖又黑的嘴巴在花距上撕开一个口子，一两秒之后又飞向下一朵花重复同样的动作。看来黑黄蜂就是从木匠蜂撕开的这个破口来偷吃花蜜的吧。

1986年9月，我为了给《植物的世界》取材而前往埼玉县秩父山，在那里发现了前来拜访野凤仙花的

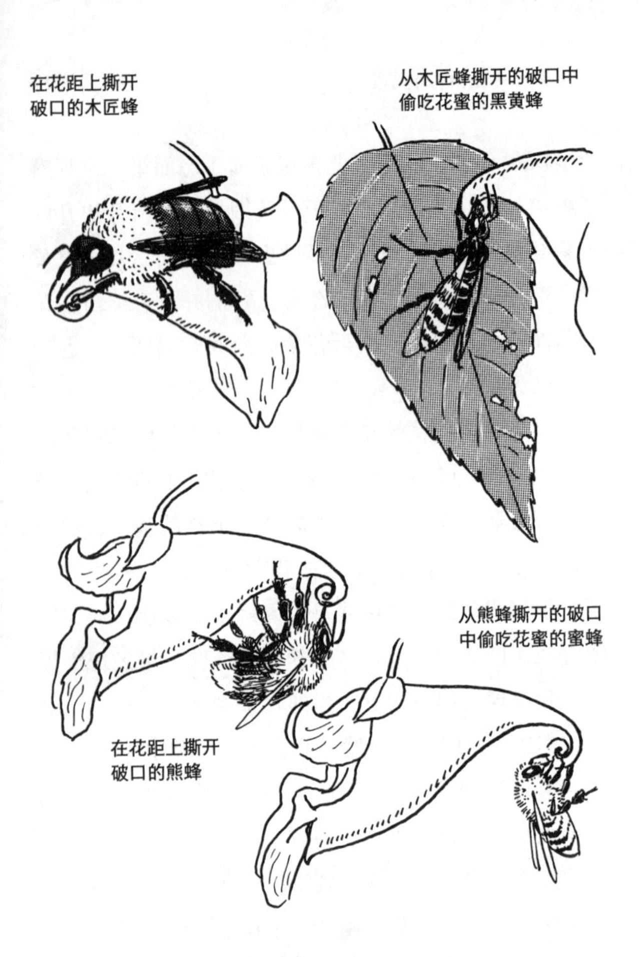

★………前来拜访野凤仙花的蜂类

熊蜂。

前文中我也为大家介绍过，野凤仙花的花朵呈圆筒形，横向开放，雄蕊和雌蕊就位于花朵入口处，虎花蜂和熊蜂在采集花蜜的时候必然会碰触到雄蕊和雌蕊。但同属于熊蜂类的小峰熊蜂采取的行动却和其他熊蜂完全不同。小峰熊蜂会趴在花朵的侧面，用巨大的嘴巴将花距撕开一个长约1毫米的破口。然后，它会将红褐色的舌头伸进去舔舐里面的花蜜。也就是说，它和木匠蜂一样，会从花距上偷吃花蜜。不同之处在于，小峰熊蜂偷吃的位置在花距的侧面，并且如果花距上已经存在破口的话，它就会直接从已经存在的破口中偷吃花蜜。

蜜蜂和一种夜蛾也会利用小峰熊蜂撕开的这个破口，但用这种方式偷吃花蜜的昆虫不管来多少次，都不会成为传播花粉的媒介，这对植物来说没有丝毫的好处。

很多种昆虫都会像这样偷吃花蜜，且对花朵毫无回报，尽管花朵也进化出了各种各样的功能来阻止这种情况的发生，但收效甚微。以野凤仙花为例，虽然它通过将花蜜隐藏在花距的深处，阻止了食蚜蝇和小型花蜂等嘴巴比较短，而且行动范围也很狭窄的昆虫前来觅食。但那些拥有锋利牙齿的昆虫则会通过撕破花距的方式，在完全不接触雄蕊和雌蕊的情况下偷吃花蜜。

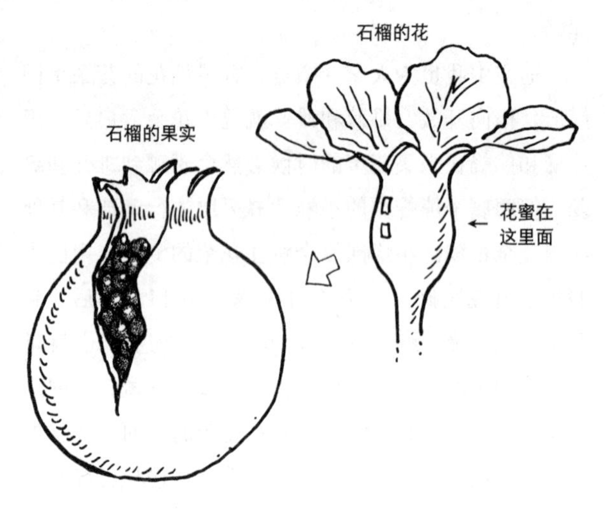

★………石榴的果实与花

为了防止出现这种情况，有些花朵会加厚储存花蜜的部位。其中的代表就是石榴花和贴梗海棠。这两种花朵都依靠鸟类帮忙传播花粉，储存花蜜的花筒部分既厚又坚固。虽然生长出这么坚固的花筒需要消耗大量的资源，但对石榴和贴梗海棠来说，当花朵凋零后，坚固的花筒还能成为保护果实的坚固外皮，所以并不算浪费资源。但野凤仙花的花期很短，只能开2天，之后花瓣就全都凋零了。可能对野凤仙花来说，只为了使用这么短的时间而投入大量的资源生长出坚固的花距有些得不偿失，所以才没有进化出这样的形态吧。

昨天的敌人是今天的朋友

在野凤仙花的后面偷吃花蜜的昆虫有很多，从正面光明正大地吃花蜜和花粉的昆虫也不少。

帮助海州常山和月见草传播花粉的天蛾就是后者之一。天蛾能够像直升机一样悬停在花朵前，将长达3厘米的嘴巴伸进花朵里面吸食花蜜。因为花筒的深度比它嘴巴的长度更短，所以天蛾的头和身体不会接触到雄蕊与雌蕊。就算嘴巴可能碰到雄蕊和雌蕊，但纤细的嘴巴能沾上的花粉数量也非常有限，而且这么纤细的嘴巴碰到雌蕊的概率也非常低。所以这种天蛾也算是在偷吃花蜜。

将花蜜藏在花距中，虽然可以阻止食蚜蝇类偷吃花蜜，但因为雄蕊就垂在入口的下面，所以还是无法阻止食蚜蝇舔舐花粉。同样，蜜蜂也会为了采集花粉而停在野凤仙花上。蜜蜂会抱在雄蕊上面，这样腹部的绒毛就会沾上花粉。虽然野凤仙花并不依靠这种方法来传播花粉，因为效率太低，但确实也可以将其作为传播花粉的一个途径。只不过这些昆虫与频繁到访的熊蜂相比只是极少数罢了。

东京市区中心设有自然教育园，作为国立科学博物馆的附属设施。这里保留着以小叶栲为主的天然林，森林中央的湿地中就有野凤仙花。

1987年，我在这里观察野凤仙花时有意外发

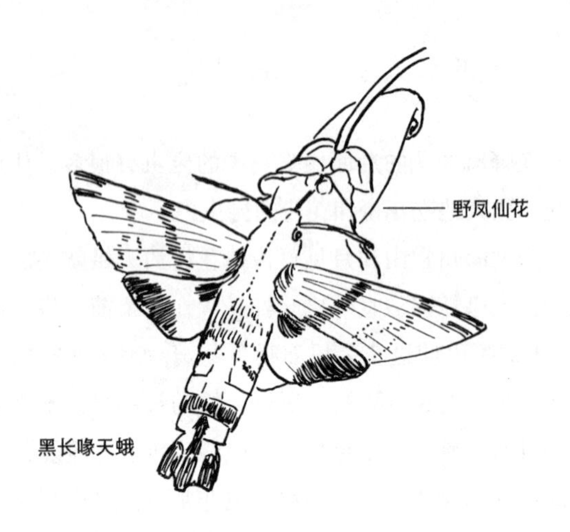

★………偷吃野凤仙花花蜜的黑长喙天蛾

现——有几朵没有花距的花混杂在一般的花朵之中。没有花距也就意味着没有花蜜，那这样的花还能长出种子吗？我当时对此并没有太在意，直到9年后我在写书的时候才想起那些没有花距的野凤仙花。于是我立刻拿着相机前往自然教育园寻找没有花距的野凤仙花，结果真找到了和之前一模一样的花朵。

因为野凤仙花是一年生草本植物，所以后来我看到的肯定不是9年前的那株，这些花应该是通过种子继承了没有花距的特性。我在其他地区几乎从没见过没有花距的野凤仙花，因为如果没有花距就不会有熊蜂来帮忙传播花粉，长出种子的机会便非常少，那么这种没有花距的野凤仙花按理说应该灭绝了才对。既

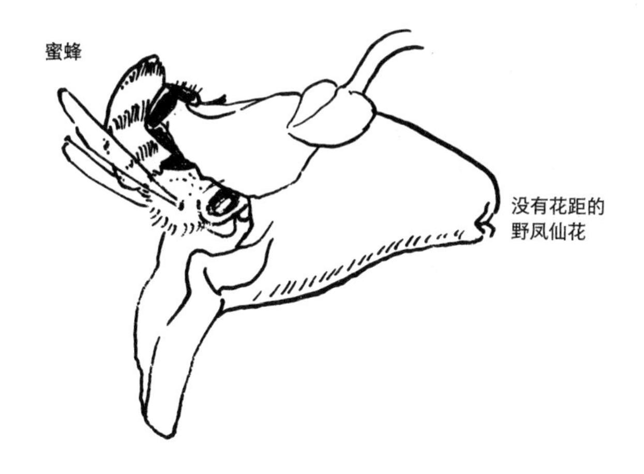

★………没有花距的野凤仙花与蜜蜂

然如此，为什么自然教育园中还有这种没有花距的野凤仙花呢？原因其实也很简单，在位于城市中心的这个小型自然保护区内，并没有虎花蜂这个野凤仙花花粉的主力搬运工。

虎花蜂的蜂王会在初春时节开始建造巢穴，从花朵上采集花粉和花蜜来养育工蜂，然后在工蜂的帮助下不断扩建蜂巢，到了秋季在产下雄蜂和下一任蜂王之后结束自己的一生。为了扩建蜂巢，虎花蜂必须在从春季到秋季一直都有花朵开放的环境下生存，否则就会出现食物短缺的情况。但自然教育园的周边地区完全无法满足虎花蜂的生存需要，所以这里没有虎花蜂。

在这种情况下，能够帮助野凤仙花传播花粉的就只有来采集花粉的蜜蜂了。在这种情况下，不管野凤仙花有没有花蜜，授粉的机会都是相同的。甚至没有花距的花朵可以将用来酿造花蜜的能量转为结出种子的能量，或许更有利于繁衍也说不定。也许就是在这种自然选择的驱动下，没有花距的野凤仙花才一代一代地繁衍下来了吧。

我们正在见证野凤仙花向只提供花粉的“花粉花”进化的初期阶段。而帮它们搬运花粉的，正是之前被拒之门外的“昨天的敌人”，也就是嘴巴比较短的昆虫。

将蜜腺包裹起来的东北堇菜

东北堇菜和紫花堇菜的花粉授受方法十分独特。这两种花的花朵都是向下开放的，原本竖直生长的花柄在达到一定高度之后突然向下弯曲，花朵就在向下弯曲的花柄前端开放。

东北堇菜的花朵有5枚花瓣，位于下方的一枚花瓣向前伸出作为昆虫的落脚点。在这枚花瓣的后面是像口袋一样的花距。在描绘东北堇菜的图片时，如果先描绘向下弯曲的花柄以及向后伸出的花距，就能画得十分形象。而这两个特征也正是被称为“堇菜型”的独特授粉方法的关键。

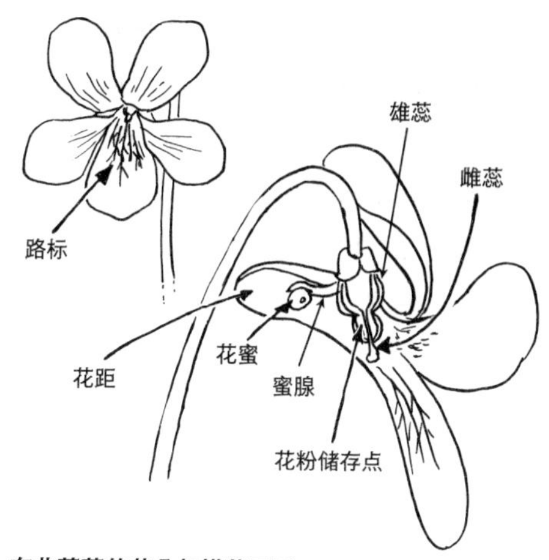

★………东北堇菜的花朵与横截面图

将东北堇菜的花朵从外面依次剥开，就能了解花朵的整个结构。在花朵的中心是与花柄紧密相连的绿色的雌蕊。在雌蕊的周围紧紧地包围着5个雄蕊，每个雄蕊的前端都有三角形的褐色鳞片。这些鳞片重叠在一起组成一个圆锥形的漏斗。花粉也是虫媒花中十分稀有的松散型。

观察到这里就会发现，这些松散的花粉在花朵开放时就会从雄蕊中掉落出来，累积在鳞片组成的漏斗之中。而漏斗的中心则与雌蕊的前端相通。

前来吸食花蜜的花蜂会落在下方的花瓣上，从正面将长长的嘴巴伸进去。下方花瓣的中间有一条深深的凹槽，引导花蜂将嘴巴伸进去。

当花蜂将嘴巴伸进去之后，头部就会碰到位于凹槽之上的雌蕊的前端。这个时候，弯曲的雌蕊就会打乱雄蕊的鳞片排列组合，导致积累在其中的花粉掉落下来，正好落在花蜂的头上。

这种机制之所以能奏效，正是因为雄蕊和雌蕊都是向下伸展，再加上雌蕊的花柄非常纤细易于弯曲，两者缺一不可。

长刺堇菜长长的“鸟喙”

长刺堇菜的花朵和东北堇菜十分相似，但位于花朵后面的花距却长长地向外伸出，看起来就像鸟喙一样。长刺堇菜为什么会有这么长的花距呢?

之前我为了给《植物的世界》取材，在新潟大学森田龙义先生的带领下，前往位于佐渡的角田山调查。

经过观察，我发现拜访长刺堇菜花朵次数最多的昆虫是大蜂虻。大蜂虻是春季出现的褐色蜂虻，经常悬停在蜂斗菜和猪牙花的花朵前面，用长达8毫米的嘴巴吸食蜂蜜。因此它们属于基本不会碰触到雄蕊和雌蕊的昆虫，是偷吃野凤仙花花蜜的天蛾的缩小版。

长刺堇菜将花蜜藏在长长的花距深处，这一点充分符合大蜂虻吸食花蜜的特性。长刺堇菜位于下方的花瓣并没有像东北堇菜那样朝前方伸出作为昆虫的落脚点，而是反方向伸到长长的花距下方。这样一来，大蜂虻就更容易落脚。

但包括长刺堇菜在内的堇菜类的花蜜并不是像野凤仙花那样从花距的内壁分泌出来的，而是从雄蕊伸到花距之中的角状蜜腺中分泌出来的。由于蜜腺被包裹在花瓣之中，就能阻止嘴巴短小的食蚜蝇和甲虫偷吃花蜜。但问题在于，木匠蜂和小峰熊蜂等昆虫会在花距上撕开破口偷吃花蜜。

我的观察结果被发表在《植物研究杂志》上之后，曾经发表过堇菜属花朵授粉方法的大阪市立自然史博物馆的冈本素治先生给我提供了一个灵感，那就是花距的长度与角状蜜腺的长度之间的关系。

我在测量长刺堇菜的花距长度后发现，虽然其平均长度为15毫米左右，但实际长度10到19毫米不等，长度上有极大的差距。另一方面，伸进花距的雄蕊的角状蜜腺则为4到10毫米，平均长度为7毫米。仅从平均值来看的话，角状蜜腺的长度是花距长度的二分之一左右。

但仔细分析数据就会发现，两者的长度并非等比例的关系。有时在很长的花距里只有很短的角状蜜腺，而在很短的花距里却伸进一根很长的角状蜜腺。

这究竟有怎样的意义呢？

如果角状蜜腺的长度总是花距长度的二分之一，那么在花距上撕开破洞偷吃花蜜的昆虫们一定会锁定

正在长刺堇菜上吸食
花蜜的大蜂虻

★………长刺堇菜与大蜂虻

花距的长度与蜜腺的长度不成比例，
能增加昆虫偷吃花蜜的难度吗？

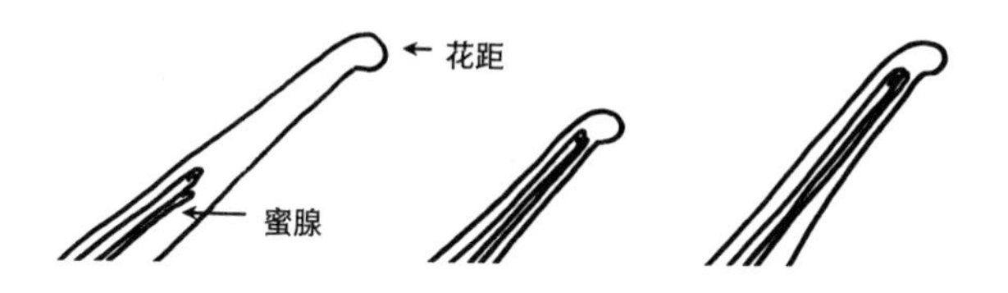

★………长刺堇菜的花距与蜜腺长度的关系

这个位置，昆虫们还是有这种程度的智商的。但实际上长刺堇菜的花距和蜜腺的长度是随机的，所以从外面完全无法判断花蜜究竟在花距的什么位置。这样一来，昆虫们从外面撕破花距偷吃到花蜜的概率就会降低，来偷吃花蜜的昆虫自然也就会变少。

我的这一猜想被发表在自然史博物馆的杂志《自然研究》上。本来要想证明这一猜想，应该在同时生长着长刺堇菜和其他种类堇菜的地方，将长刺堇菜被撕开花距的概率和其他堇菜被撕开花距的概率进行对比。但遗憾的是，我一直没有机会收集这一数据，所以这也成了遗留问题。

疯狂的兰花与蛾子

在位于非洲大陆东部的马达加斯加岛上，生长着一种名为彗星兰的兰花。在这种花朵的后面，垂着一根长达25到30厘米的管子。兰花的花蜜就储存在这根长长的管子里。肯定是因为有能从这个长长的花距中吸食花蜜并传播花粉的昆虫，所以兰花才进化出了这么长的花距。提出进化论的达尔文在看到这种花朵之后就推测“肯定有嘴巴长30厘米的昆虫”。而在达尔文提出这番推测的40年后，人们果然发现了嘴巴长达30厘米的马岛长喙天蛾。

要长出长达30厘米的花距以及能够伸进花距深处的嘴巴，都需要投入非常多的营养和能量。兰花也好，蛾子也罢，为什么会出现这种无用的进化呢？事实上，这种花朵和蛾子之间的关系，正是花朵与昆虫之间并非相互帮助的铁证。

信州大学的井上健先生经过研究发现，日本的舌唇兰和小花蜻蜓兰都依赖天蛾和夜蛾传播花粉。这些花朵的花粉聚集在一起呈块状，并且带有一个细长的柄。当蛾子因想要吸食位于花朵后面的细长花距中的花蜜而往花朵里面钻的时候，花粉块就会掉到蛾子的头上。

马达加斯加的兰花与蛾子也是用同样的方式，但最开始应该并没有这么极端。那么，两者究竟是从什

★………从彗星兰（兰花）之中吸食花蜜的马岛长喙天蛾

么时候开始变得如此疯狂的呢?

动物和植物的外形大小参差不齐，在马岛长喙天蛾的祖先中，嘴巴比较长的个体因为可以不接触到花粉就能轻而易举地吃到花蜜，所以更容易繁殖后代，于是嘴巴比较长的马岛长喙天蛾就越来越多。

但这样一来，彗星兰的祖先之中花距比较短的个体就难以结出种子，也就难以繁殖后代，因此花距比较长的个体占比就越来越高。到了下一个阶段，又是嘴巴比较长的马岛长喙天蛾易于繁殖后代，而兰花也是花距比较长的才能结出种子。两者的关系就像是一个在前面跑，另一个在后面追，谁也没有停下来的意思，就在这样不断的进化之中走向灭亡。之所以说“走向灭亡”，是因为如果两者之间的关系继续这样加深下去，那么一方的灭绝也必然导致另一方的灭绝，所以最终两者都将从地球上消失。

既然全世界的花朵与蛾子都是这样的关系，那么拥有30厘米花距的花朵岂不是应该随处可见吗，但实际上非常少见，这是为什么呢?因为花朵和昆虫之间这种毫无意义的博弈完全是对资源的浪费。而且在自然环境下还有像木匠蜂那样偷食花蜜的小偷，所以花距更长的花朵会在与其他种类花朵的竞争中败下阵来，走向灭绝。马达加斯加岛上的兰花和蛾子之所以能够进化到如此极端的程度，完全是因为它们的生存环境过于舒适，没有其他的竞争对手出现。

很久很久以前，天蛾的嘴巴还很短，兰花的花距也不长……
但经过漫长的岁月之后……

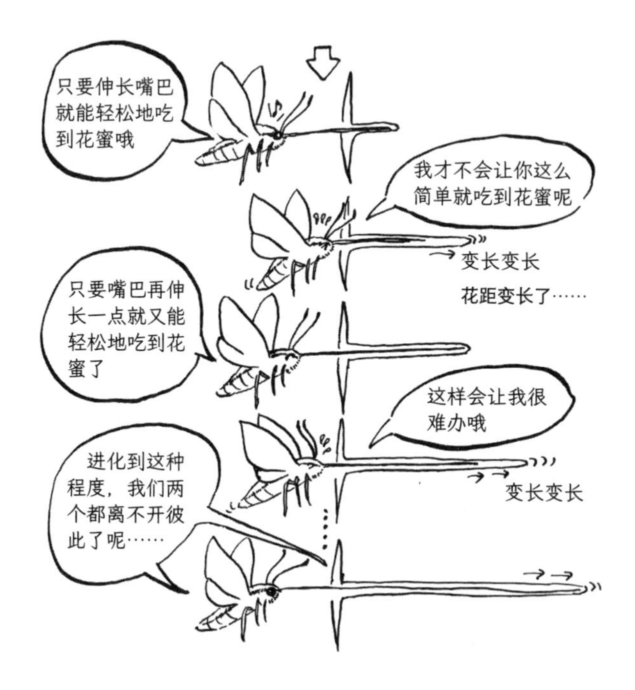

★………彗星兰与马岛长喙天蛾密不可分的关系

Chapter 07 欺骗昆虫的花朵们

让昆虫付出生命的代价：日本天南星

大家听说过瓶子草吗？这是一种拥有长筒状叶片的食虫植物，叶片吸引昆虫落入其中，然后用消化液将昆虫消化吸收。

还有一种植物，能够开出和瓶子草的叶片十分相似的花朵，这种植物的名字叫日本天南星。

说是花朵，但从外面只能看到保护花穗的花苞，而且在花苞的上面还有一个用来防止雨水落进去的盖子，这一点也与瓶子草的叶片十分相似。在花苞的里

★………瓶子草的叶片与日本天南星的花朵

面有一根直立的轴，下方开着许多花朵。但这些花朵没有花瓣，只有花穗像苞米一样的雄蕊和雌蕊。在这些花蕊的周围就是像瓶子草的叶片一样将其包裹起来的花苞。

虽然人类闻不到花朵散发出的气味，但一种小真菌蚋会被吸引而来。当小真菌蚋不小心滑落到花苞之中的时候，就会成为花粉的搬运工。因为花苞的内壁非常湿滑，完全无法从内壁上爬出去。唯一能攀登的地方只有雄蕊和雌蕊组成的花穗。

当好不容易爬上雄蕊和雌蕊之后，再上面就是花穗的中轴。但这个中轴的顶部突然变粗，就像校仓式

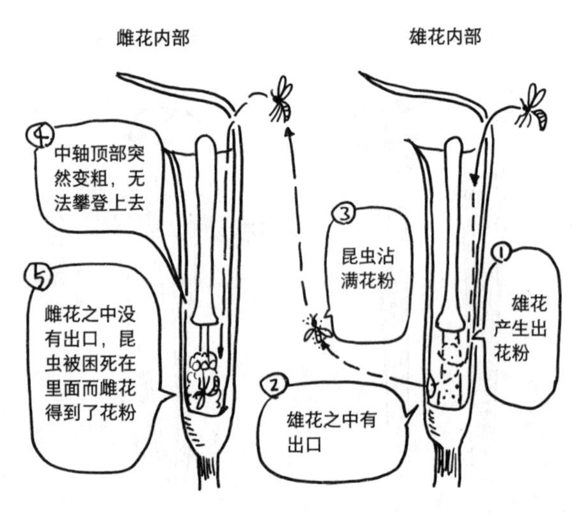

★………日本天南星的花苞内部

建筑的顶部一样整个都倒扣过来，这就使得小真菌蚋完全无法爬上去。

可怜的小真菌蚋就这样被困在花苞之中，万幸的是在包裹雄花的花苞底部有一个非常小的缝隙，小真菌蚋总算是能够从这个缝隙之中逃出生天。即便会被白色的花粉沾满全身，也好过被困死在里面。

但如果从雄花上沾到花粉的小真菌蚋掉落在雌蕊的花穗上，情况就完全不同了。当它们四处走动时，花粉会附着在雌蕊的尖端，到了秋天就会长成圆锥花序，圆锥花序上又会结出许多直径1厘米左右的红色果实。

不过雌花的残忍之处在于花苞底部并没有缝隙，小真菌蚋只能在里面徘徊，直到因饥饿和口渴而死。

伪装成腐肉的豹皮花

说起在沙漠之中含氮化合物最丰富的东西，非动物的尸骸莫属。但能留给蝇类分食的动物尸骸并不多。于是就有植物钻了这个空子。

这种钻空子的植物就是花朵直径超过20厘米的豹皮花。豹皮花的花瓣是红褐色的五角星形，而且还能散发出和腐肉一样的臭味。此外在花瓣上还有白色的绒毛，看起来就像是腐肉上长出来的霉斑。

当豹皮花开放的时候就会散发出臭味，其中心部位的形状十分复杂，据说在豹皮花花粉的前端有一个好像晾衣夹一样的附属物，能够紧紧地夹在被吸引来的蝇类的腿上，通过蝇类来搬运花粉。

被吸引来的蝇类因为看到豹皮花的颜色、触感都和腐肉十分相似，就会将卵产在上面。但当卵孵化成幼虫之后，在豹皮花上根本找不到任何食物，所以只会被活活饿死。

有的书上介绍说“蝇类的幼虫会在豹皮花上来回移动传播花粉”，这是完全错误的。

因为豹皮花的直径长达20厘米，而且还能吸引蝇类前来，所以根本没必要借助移动缓慢的蛆虫来传

★………散发出腐肉臭味吸引蝇类前来的豹皮花

播花粉。此外，让刚出生的蛆虫在沙漠之中将花粉从一朵花带到另一朵花上，怎么想也是不可能做到的。

正常来说，花粉应该是在蝇类被吸引前来产卵时沾在蝇类的身上，然后被蝇类带到其他花朵的雌蕊上完成授粉的。

伪装成蘑菇的多摩细辛

据说德川家的家纹“三叶葵”的设计就源于双叶细辛。与双叶细辛同属的多摩细辛，因为主要生长于东京的多摩地区而得名。这是一种拥有心形叶片的植

★………生长在树林中的多摩细辛

物。虽然外形看起来非常优美，但实际上暗藏杀机。

多摩细辛的花朵呈暗红色，直径大约3厘米。花朵非常贴近地表，有时候甚至有一半都被落叶掩盖。在3片花瓣的后面是一个壶形的花筒，其中有间隙1～2毫米的隔片。

为了搞清楚这种花朵的授粉方法，我在1966年和1967年的初夏，观察了许多这种花朵。我在这种花朵的生长地来回巡视，每当发现花朵就仔细地观察其中的情况，记录发现的信息。虽然我在花朵中发现了蜘蛛和蚜虫等昆虫，但没有发现具有强大移动能力的花粉传播媒介。在我观察了上百朵花之后，终于在花朵之中发现了一只和花朵颜色十分接近的长约2厘米的毛虫，这是鹿子蛾的幼虫。

我活捉了这只毛虫，同时也带回一些多摩细辛的花朵。到了第二天早上，我发现毛虫和我发现它的时候一样，将花朵内侧的雄蕊吃得干干净净，而位于花朵外侧的雌蕊则完好无损地保留了下来。根据这一观察结果，我推测如下，并且将推测结果投稿给《采集与饲育》杂志。1967年，杂志发表了我的这篇文章。

文章的大概内容是："鹿子蛾的幼虫会吃掉多摩细辛的雄蕊，此时花粉会沾到它的身上，当鹿子蛾去吃下一朵花的时候，花粉就会沾到雌蕊上。但或许因为雌蕊不好吃，所以鹿子蛾只吃雄蕊。这样多摩细辛就能长出果实了。"

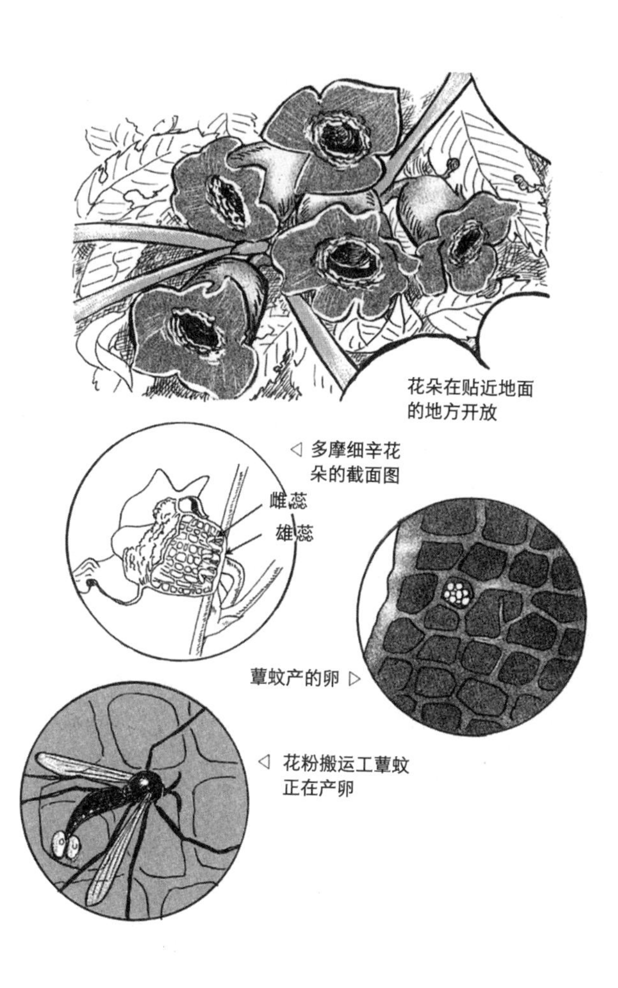
花朵在贴近地面
的地方开放
◁ 多摩细辛花
朵的截面图
雌蕊
雄蕊
蕈蚊产的卵 ▷
◁ 花粉搬运工蕈蚊
正在产卵

但后来再也没有在多摩细辛之中发现鹿子蛾幼虫的报告，我的推测也就不了了之。我当时看到的这个场面或许只是一次偶然吧。

20世纪80年代，当时在东京都立大学任职的菅原敬先生尝试解开这个谜团。他仔细观察了大量的多摩细辛，发现一种叫蕈蚊的以蘑菇为食的蚊子才是花粉的搬运工。

多摩细辛会散发出蘑菇的香气。误将多摩细辛当成蘑菇的蕈蚊会飞进花朵之中。由于多摩细辛的花朵里也有和蘑菇一样的隔片，蕈蚊就会更加确信无疑地将卵产在上面。在寻找产卵场所的过程中，蕈蚊身上就会沾上花粉，飞到下一朵花产卵时便会将花粉传播到雌蕊上。

但根据菅原先生的观察，多摩细辛上的蕈蚊卵甚至都无法孵化。难怪我在多摩细辛之中看到的虫卵有的都已经发霉了。

豹皮花是马利筋亚科的植物，多摩细辛是马兜铃科的植物，两者之间的亲缘关系相差甚远，但通过伪装欺骗昆虫来产卵的方法却如出一辙。

伪装成雌性的兰花

很多花朵都会欺骗昆虫，其中欺骗最多的就是兰花。但实际上被兰花骗得最深的并非昆虫而是人类。

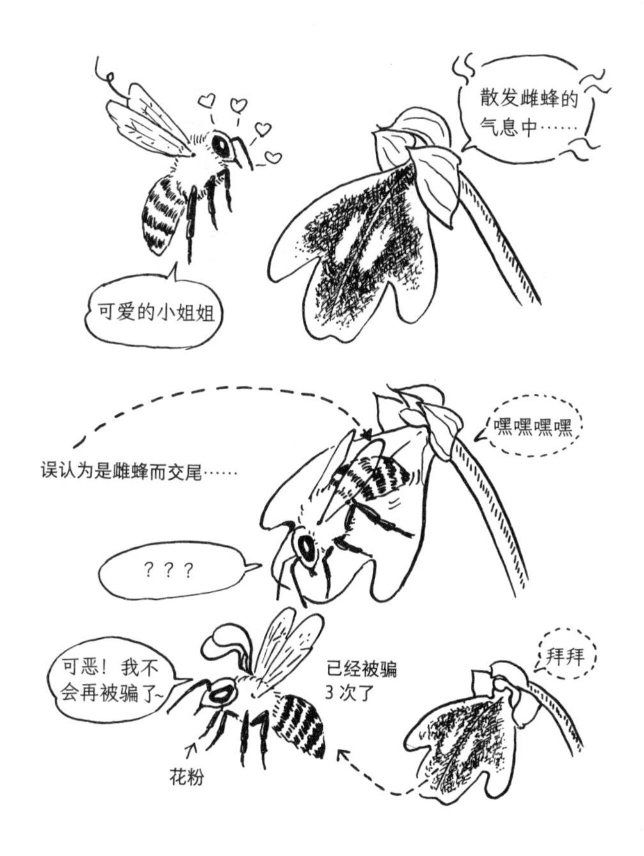

★………欺骗的技术：蜂兰花

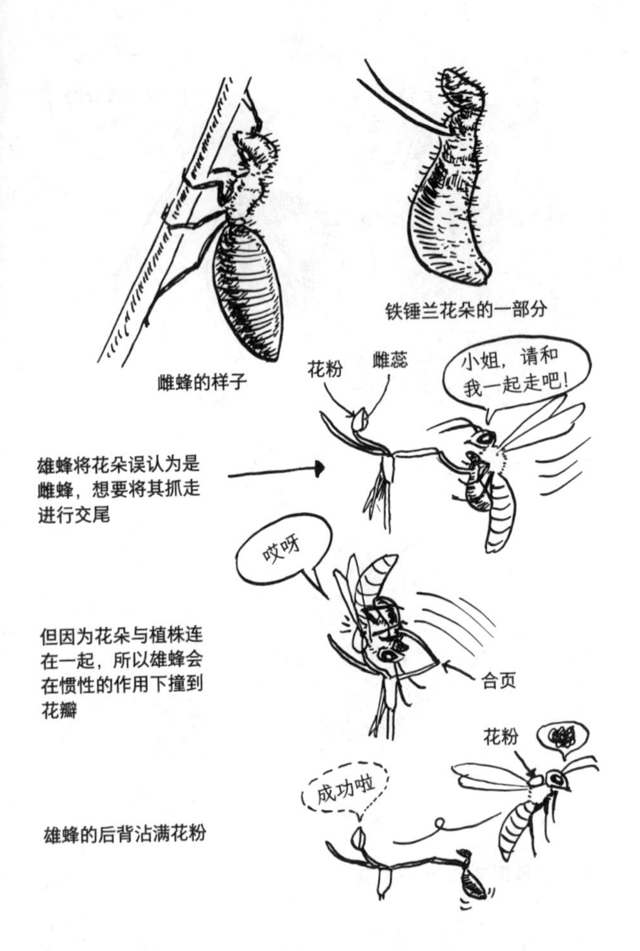
铁锤兰花朵的一部分
雌蜂的样子
花粉
雌蕊
小姐，请和我一起走吧！
雄蜂将花朵误认为是雌蜂，想要将其抓走进行交尾
哎呀
但因为花朵与植株连在一起，所以雄蜂会在惯性的作用下撞到花瓣
合页
花粉
成功啦
雄蜂的后背沾满花粉

★………欺骗的技术：铁锤兰

园艺家们为了获得更多不同形状和颜色的花朵，投入了大量的时间、精力以及金钱。

在兰花的花瓣中，最大最醒目的花瓣叫唇瓣，生长在欧洲的蜂兰花能够将唇瓣伪装成雌性蜂类的模样，同时还能散发出和雌性蜂类十分相似的气味。不明就里的雄蜂会飞来与这个唇瓣交尾。但因为这个“雌蜂”是唇瓣伪装的，所以雄蜂只能无功而返。然而在这个过程中，雄蜂的头部会沾上蜂兰花的黄色花粉。当这只雄蜂飞到其他花朵上再次尝试交尾时，就会将花粉传播到雌蕊上。

实际上蜂兰花的唇瓣看起来就像一只翅膀没有完全展开的蛾子，而且上面还有褐色和白色的花纹以及细细的绒毛。可能看起来确实像一只昆虫，但怎么看也不像是雌蜂。即便如此，也有雄蜂前来交尾，由此可见这个奇怪的造型具备所有让雄蜂辨识为雌蜂的特征吧。雄蜂一般比雌蜂更早出现，等待雌蜂羽化之后进行交尾。兰花不管伪装得多么惟妙惟肖也不可能完全代替雌蜂，所以只能趁着雄蜂出现而雌蜂还没到来的这段时间开放，抓住这宝贵的授粉机会。

在澳洲大陆上，也有一种会伪装成雌蜂的兰花，叫铁锤兰。

看到这朵花的人恐怕都不会认为它是兰花的一种吧。正如第156页的插图所画的一样，这朵花的花茎前端呈“T”字形，左右分开，一边的前端有一朵小花，另一边的前端则像是一只有腿有翅膀的雌性黄蜂。这就是吸引雄蜂的诱饵。

雌性黄蜂不会飞，一般会停留在枝杈上等待雄性黄蜂将其抓走，然后两者在飞行中完成交尾。但铁锤兰的诱饵是和花朵连在一起的。所以当雄蜂飞来想要将诱饵抓走时，就会被诱饵底部与植株连接在一起的合页扯住，在惯性的作用下撞到兰花的花瓣上，而铁锤兰则会抓住这个机会将花粉沾到雄蜂身上。雄蜂尝试几次无法将诱饵抓走就会放弃，然后飞到下一个诱饵处重复之前的行动，就这样将铁锤兰的花粉搬运到其他的雌蕊上面。

铁锤兰的假雌蜂诱饵也是由唇瓣变化而来，与真雌蜂的形状极其相似，所以才能骗过雄蜂的眼睛。但兰花究竟是从哪儿学到黄蜂的习性的呢?

伪装成其他花朵的花：白芨

日本也有伪装成雌性昆虫的兰花吗?

虽然目前尚未发现，但我相信是有的。因为从图鉴上看，有开出类似花朵的兰花。

不过，有很多兰花品种因为过度开发以及无知的植物爱好者的错误采集而在得到研究之前就消失了，这实在是令人遗憾。野生的花朵就应该生长在大自然中，这样才能让我们了解到生态的奥秘。

日本虽然尚未发现能伪装成雌蜂的兰花，却有能伪装成富含花蜜的花朵的白芨。白芨除了野生品种，也被广泛种植于公园和庭院之中，是我们在日常生活中比较容易接触到的兰花。

白芨有6片花瓣，位于最下方的一片是形状十分复杂的唇瓣，这一点与蜂兰花和铁锤兰十分相似。在白芨唇瓣的上方是雄蕊和雌蕊一体化组成的“蕊柱”。蕊柱的前端有花粉，而蕊柱里的凹陷处则是接收花粉的地方。

当时在神户大学任职的杉浦直人先生为了了解都有哪些昆虫来拜访白芨的花朵而进行了调查。他在面积大约2.5平方米的白芨花园旁边观察了9个半小时，发现共有26种昆虫前来。其中有四分之三是蜂类，而在蜂类中有大约一半是日本长须蜂。

这种花朵是如何授粉的呢？让我们以长须蜂为例猜想一下吧。

当长须蜂发现漂亮的花朵时就会飞过去并停留在唇瓣上，在唇瓣白色花纹的引导下将嘴巴伸进花朵的深处寻找花蜜。但白芨的花朵中并没有花蜜，所以长须蜂在搜寻无果之后很快就飞向其他花朵。

但在这个过程中，长须蜂的后背就会碰到蕊柱的前端，而蕊柱前端的“强力胶水”便会涂抹到长须蜂的背后。与此同时，花粉也会牢牢地沾在长须蜂的身上。说起来好像用了很长时间，但整个过程都是在一瞬间完成的。

当后背沾上花粉的长须蜂飞到下一朵花上的时候，雌蕊上的黏液就会吸附花粉从而完成授粉。这样一来花朵就达到了传播花粉的目的。

而被欺骗了的长须蜂不但没吃到花蜜，身上还沾满了让它很不舒服的黏液与花粉，据说长须蜂在从花朵之中出来后会立刻用腿清理身上的花粉。当长须蜂在好几朵花上都遭遇了这样的欺骗之后，它们就会认识到这是花朵的骗局，于是再也不会上当了。

昆虫判断是否能够从花朵中获取食物的能力其实非常高。针对这一猜想，玉川大学进行过一项实验。实验团队向蜜蜂的触角喷出带有气味的物质，然后给蜜蜂喝糖水，反复三次之后，蜜蜂在触角接触到气味之后就会立即伸出嘴巴。

如果让人类一边喝糖水一边背单词，三次能够完全记住吗？恐怕也不是人人都能做到吧。

我在观察鸭跖草时，发现菜粉蝶会来花朵上吸食花蜜。但当重复三次之后，即便它仍然在这片花园上方飞舞，却再也不会靠近鸭跖草的花朵。或许是因为它已经发现鸭跖草的花朵中没有花蜜了吧。

由此可见，昆虫们拥有很好的记忆力，长须蜂在被欺骗几次之后也不会再次靠近白芨的花朵。那么白芨的骗局似乎并非长久之计。但实际上白芨开花的季

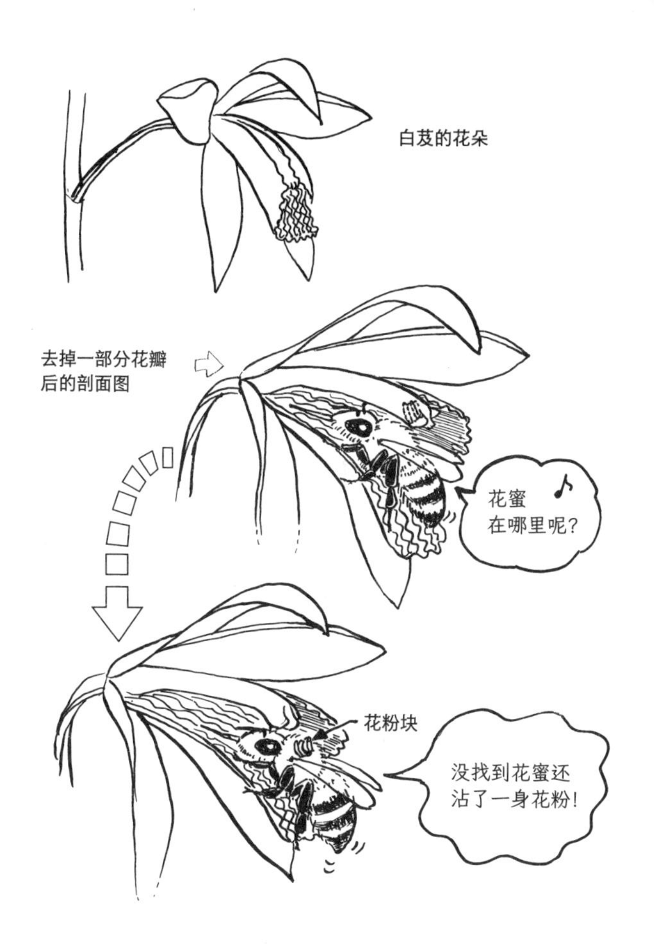

★………白芨花朵的授粉大作战

节是昆虫繁多的初夏时节，而且白芨的花期很长，所以被它欺骗的昆虫可以说是络绎不绝，就算是不给昆虫提供任何食物，也一样能够成功地授粉。

扇脉杓兰的母衣之谜

日本源平合战时期的武将们经常会在背后背着一个布囊，用来抵御从后面射来的箭矢，这个布囊就叫母衣。一种叫扇脉杓兰的兰花后面也带有一个和母衣很相似的带囊，那么扇脉杓兰的“母衣”究竟有什么用处呢?

扇脉杓兰母衣呈圆形，前方有一个研钵形的洞口，洞口的周围有紫色的花纹，让人以为里面藏着什么好吃的东西。但这其实是一个陷阱，就连聪明的熊蜂都会上当受骗。

熊蜂认为里面有好吃的食物，努力钻进研钵形的洞口之中，但实际上里面什么也没有，而且研钵形的洞口只能进不能出，唯一的出路只有位于花朵上方的通道，在这一侧的花朵内壁上长着可以让熊蜂攀爬的绒毛。因为通过上方的出口能够看到光亮，所以熊蜂会努力地挤过狭窄的通道，最终从母衣中逃脱出来。在这个过程中，熊蜂的后背就会接触到雄蕊的前端，沾上大量白色花粉。当熊蜂飞往另一朵扇脉杓兰的时候，就会将花粉搬运过去并沾到雌蕊上。2000年初

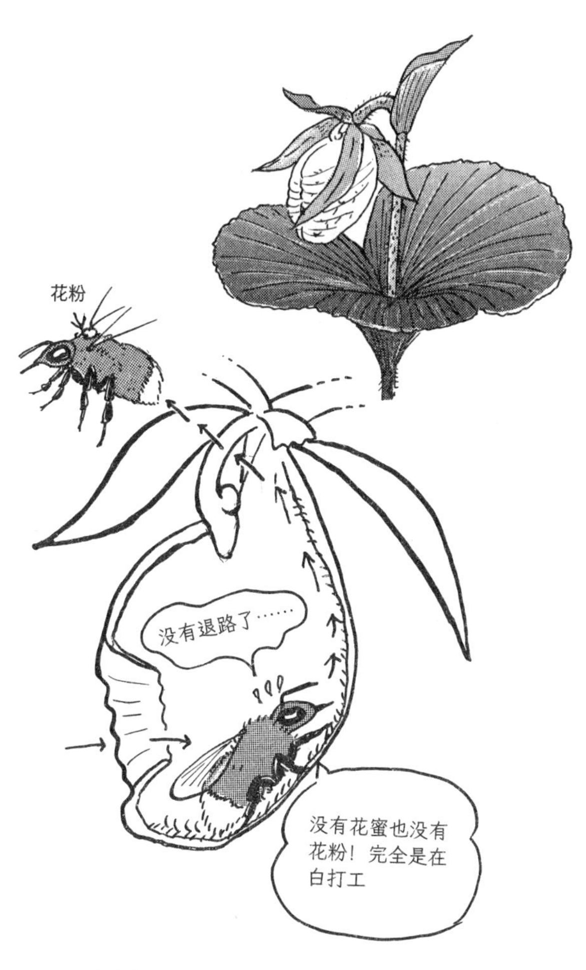

★………扇脉杓兰的花朵与熊蜂

夏，几个网友组织了一次野生扇脉杓兰的观赏会。当时的天气还不错，我拿着相机拍摄的时候，刚好看到一只小熊蜂飞进了扇脉杓兰的母衣之中。我急忙将相机对准这朵扇脉杓兰，等待熊蜂从里面钻出来。虽然最终我拍到的照片有些模糊，而且熊蜂身上也没沾上花粉，但对我来说也是非常宝贵的照片。

后来我又一个人去了那个地方继续观察，发现当时的花朵都已经凋零，只剩下叶子还留在植株上面。观赏会的时候大约有400朵开放的扇脉杓兰，但现在长出果实的植株只有7株，繁殖率只有1.8%。

熊蜂大概也是尝试3次之后就发现自己被骗了，然后再也不会上当了吧。不过扇脉杓兰是多年生草本植物，就算繁殖率很低也一样能够长年生长下去。还有一种可能是以前有数量更多的熊蜂，所以扇脉杓兰才能一直繁衍至今吧。

秋海棠的高超骗术

花朵们通过高超的骗术，有的牺牲昆虫的性命来传播花粉，有的榨取昆虫的劳动来传播花粉。让我们来看一个身边的例子吧。

秋海棠原产于中国，是在秋季开出漂亮粉色花朵的植物。从花朵的侧面观察，能够在花瓣后面看到三角形雌蕊的就是雌花，只有一根细柄的就是雄花。但如果从正面观察的话，不管雄花还是雌花，都是在花瓣的正中央有许多花蕊，而且都是黄色的球形，看起来几乎一模一样。

而这个看起来几乎一模一样的花朵，正是秋海棠让昆虫无法分辨雄花和雌花的策略。秋海棠虽然能散发出淡淡的香气，但没有花蜜，能给昆虫吃的只有花粉。只有花粉就意味着雌花没有任何东西可以用来吸引昆虫。但因为雌花和雄花的外观基本相同，在雄花上吃到花粉的昆虫就会认为雌花也和雄花一样有花粉可以吃，于是落在雌花上的时候，沾在身上的花粉就能被传播到雌蕊上了。

如果仔细观察的话，会发现雄蕊也采用了一些欺骗的手法。百合和厚朴的雄蕊都是表面沾满了花粉。但秋海棠的雄蕊则呈音符形，虽然看起来很鼓，但只有左、右两个小孔中会喷出少量的花粉。黄色的雄蕊聚集在一起看起来好像花粉很多的样子，实际上完全是“虚假宣传”。

秋海棠的策略看起来无懈可击。但当我观察昆虫们的行动时，却发现没有一只昆虫落在雌花上。难道我的推测错误了吗？可是到了秋季，许多秋海棠的雌蕊上都结出了果实。要想解开秋海棠授粉的谜团，还需要更多的观察才行。

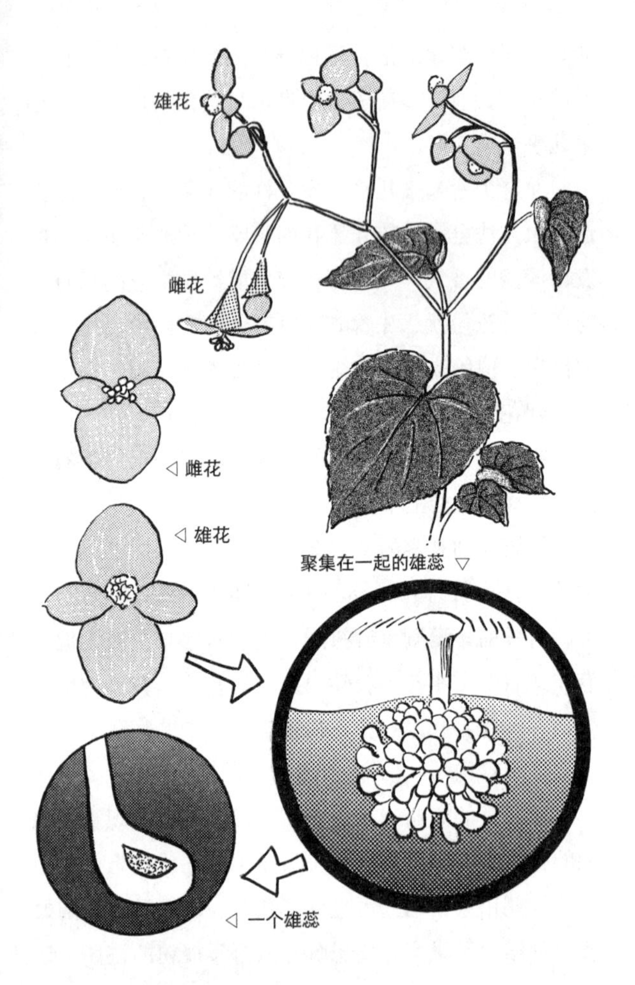

★………秋海棠的花朵与雄蕊

Chapter 08 被颜色和香气迷惑?

菜粉蝶喜欢的颜色

“我们打算在电台节目里聊一聊菜粉蝶喜欢什么颜色的话题，想向您请教一下菜粉蝶究竟喜欢什么颜色的花。”

时任多摩动物园园长的矢岛稔先生给我打来这样一通电话。因为我无法当场回答这个问题，于是只能回复“我去调查一下”。正是这件事让我开始思考花朵颜色的生态学意义。

但是，到底有没有关于菜粉蝶喜欢什么颜色的书籍和论文呢？如果有的话，身为昆虫学者的矢岛先生应该读过吧。我在接到矢岛先生电话的当天晚上，就开始翻阅曾经担任过富山县中学校长的田中忠次先生整理出的“吸引蝴蝶停留的花朵列表”。这个列表分门别类地整理了曾经在书籍和杂志上出现过的蝴蝶选择停留的花朵，以及蝴蝶的种类。

翻开菜粉蝶的页面，发现其中的内容多达3页，共有278种植物的名称。我将其中的野生植物挑了出来，并且计算了不同颜色的数量。

结果如下页棒状图所示。从这个图上可以看出，在野外比较多的白色、黄色、紫色的花朵所占的比例基本相同，红色和绿色则相对较少。因为在野生植物中开红色和绿色花朵的植物比较少，所以观察到的实例更少也是理所当然的。考虑到这一点的话，菜粉蝶

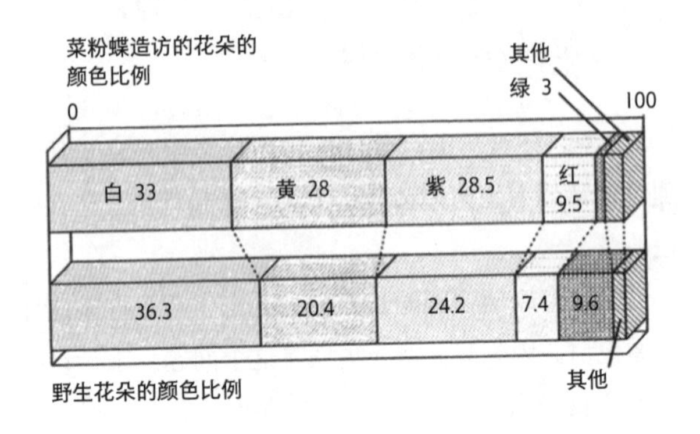

★………菜粉蝶造访的花朵与野生花朵的颜色比例

似乎对花朵的颜色并没有明显的偏好。于是我得出了“菜粉蝶对颜色没有偏好”的结论，并且在接到电台节目打来的电话时给出了同样的回答。

但在节目播出之后，我的脑海里总是会产生出“菜粉蝶真的对颜色没有偏好吗”的疑问。如果在蒲公英花朵盛开的场所观察，飞来的菜粉蝶几乎都会落在黄色的蒲公英花上，而很少去拜访在蒲公英的花朵旁边低调开放的蓝色的阿拉伯婆婆纳。但如果在全是阿拉伯婆婆纳的花园中，就会发现与蜂类和食蚜蝇类混在一起的菜粉蝶也会落在阿拉伯婆婆纳的花朵上。这样计算的话，菜粉蝶造访蓝色花朵的概率就会提升。

田中先生整理的列表基于大量观察者报告的数据统计，所以从数据上来说应该不会有太大的偏差。但因为野生植物的花朵颜色本身就有很大的偏差，所以最终得出的结论可能会有所不同。要想尽可能从客观的角度分析菜粉蝶喜欢的颜色，就必须对比菜粉蝶造访的花朵的颜色比例与日本的野生植物的花朵颜色比例才行。

首先我查阅了许多关于不同颜色花朵所占比例的书籍，虽然发现了三份相关数据，但其中似乎都包含人工培育的植物。如果包含人工培育的植物，其中就会混有当时流行的园艺植物的颜色。因此，这样的数据就不能保证完全客观。看来要想得到自己想要的数据，就只有亲自去调查这唯一的办法了。

于是我从《学生版牧野日本植物图鉴》（北隆馆）中挑出所有的野生植物，然后按照颜色的种类对植物数量进行了整理。《牧野图鉴》的好处在于它不是彩色的。如果是彩色图鉴的话，我就必须根据花朵的照片来自己判断颜色，但在这种情况下判断出的颜色多多少少会受到一些主观的影响。但在《牧野图鉴》上，花朵的颜色都是用文字标明的，所以我只需要根据文字内容进行统计就可以了。

图鉴中的虫媒花有大约1359种，这些花朵的颜色比例如第168页的棒状图所示。只要将日本野生的虫媒花的花色比例与菜粉蝶拜访的花朵的颜色比例进行对比，就能判断出菜粉蝶是否有偏好的颜色。如果菜粉蝶对颜色没有偏好的话，那么这两个棒状图的颜色比例应该基本相同。但实际上经过对比发现，菜粉蝶拜访的绿色花朵的比例与虫媒花的花色比例相比要小得多。这可能说明菜粉蝶并不喜欢绿色的花朵。白色似乎也说不上喜欢。而菜粉蝶拜访红色和黄色花朵的比例明显更大，或许证明菜粉蝶更喜欢这两种颜色。

也就是说，菜粉蝶并非对颜色没有偏好，它们更喜欢红色和黄色的花朵。

花朵的颜色与昆虫

后来，东京动物园协会杂志《昆虫馆》的编辑拜托我写一篇关于昆虫与花朵颜色之间关系的文章。

我再次拿出田中先生整理的资料。因为要有翔实的数字，所以我从资料中选出了15种以上的花朵和涉及的昆虫，最终能够进行分析的昆虫有61种。我将这些昆虫拜访的花朵的颜色所占比例制成了一份一览表。然后将昆虫拜访的花朵的颜色比例与野生植物花朵的颜色比例相除，就能判断出每个昆虫偏好的颜色以及不同昆虫类型偏好的颜色。我将这个数据命名为"颜色偏好指数"并画出雷达图。这样，昆虫对颜色的偏好就一目了然了。

常见昆虫的雷达图如第171页的插图所示。位于雷达图5个顶点的是颜色偏好指数的平均值，而不规则的五边形的角则代表了相应昆虫的颜色偏好指数。

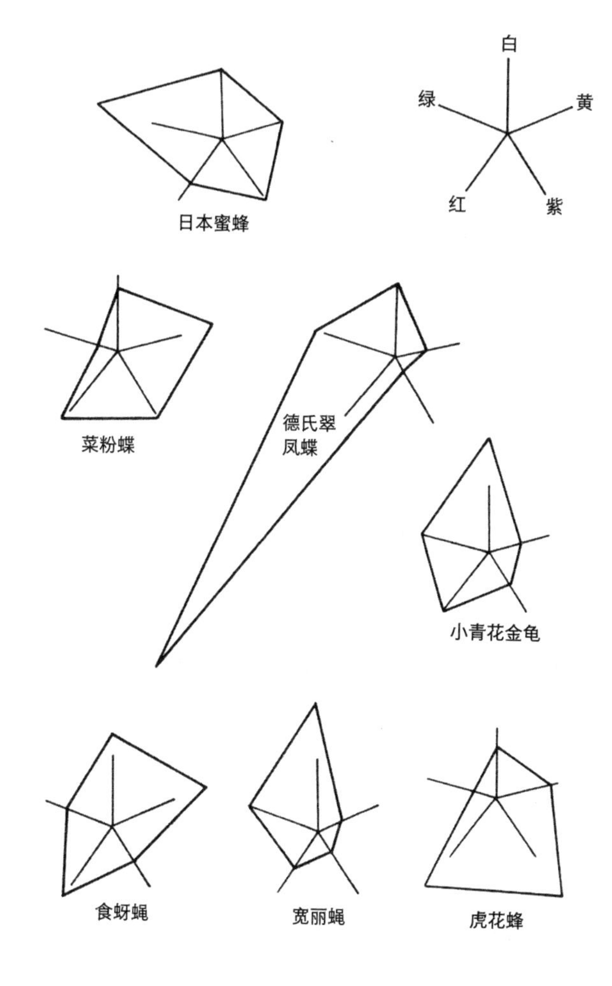

★⋯⋯⋯各种各样昆虫的雷达图
（根据田中先生 1991 年的数据归纳整理）

角延伸得越长，就说明昆虫对这个颜色越偏好。这项研究是我个人非常骄傲的成果之一，被发表在科学杂志《牛顿》的《科学传感》专栏中。

白色花朵的三种类型

从颜色偏好雷达图上，或许能看出花朵的颜色与到访昆虫之间的某些联系。让我们先从白色的花朵入手来寻找一下这个联系吧。

白色的花朵根据其形状和性质，可以分为向上开放的花朵、向下开放的花朵以及夜晚开放的花朵三种类型。每一种类型到访的昆虫种类和习性都各不相同。

一、向上开放的花朵：野蔷薇和厚朴等都属于这种类型。像八角金盘和水芹那样许多小花聚集在一起的花朵也大多是白色的。这些花朵全都将花蜜和花粉露在外面，吸引小青花金龟、食蚜蝇、花蜂等昆虫前来。所有这些来访的昆虫都有一个共同的特点，那就是嘴巴短。

从这一点上来看，白色的花朵似乎传达出了一个信息，那就是“能够轻而易举地吃到花蜜和花粉”。尤其是对既不擅长飞行又不擅长降落的甲虫来说，如果花朵不向上开放的话，就完全无法去觅食。从甲虫类的雷达图来看，几乎所有的甲虫都经常拜访白色的

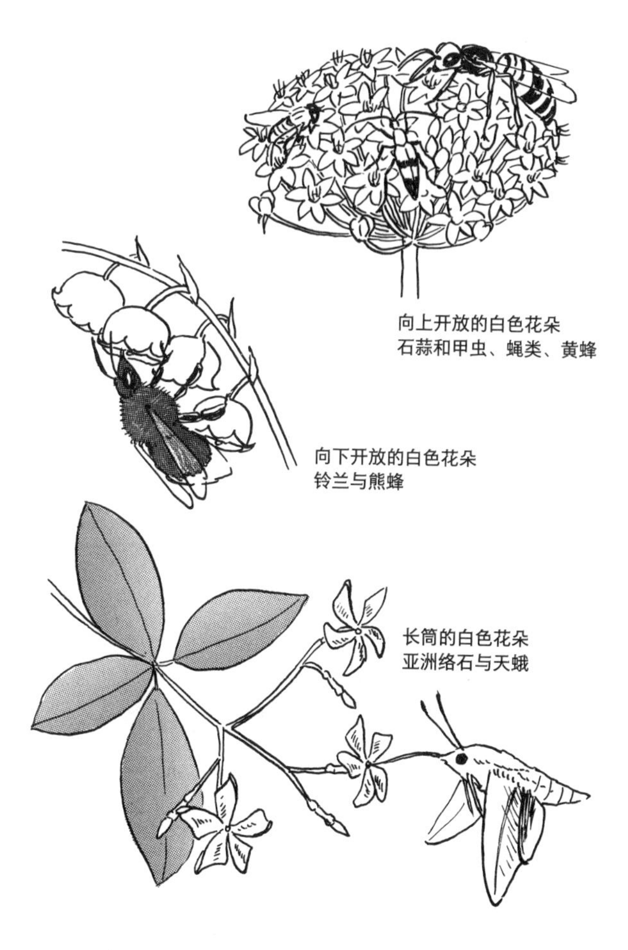

★………喜欢白色花朵的昆虫们

花朵，白色的一角尤其长。

二、向下开放的花朵：铃兰和台湾吊钟花等都属于向下开放的花朵。这些是专门给擅长倒挂的花蜂们准备的花朵。因为能够飞过来并且倒立着停留在向下开放的花朵上的，只有拥有高超技巧的花蜂类。而这些花朵之所以用这种方式筛选出花蜂，是因为花蜂具有极强的移动性，能够非常高效地帮助传播花粉。

因为花朵向下开放，大多会被隐藏在树荫下面光线较差的地方，所以才会是醒目的白色吧。而且白色的花朵还能吸收易于昆虫辨识的紫外线，当昆虫在花丛上方飞舞时，向下看到白色花朵的对比度最高，也最显眼。

三、夜晚开放的花朵：王瓜和亚洲络石等都属于傍晚才开始开放的花朵。这些花朵都拥有储存花蜜的长筒，通过夜间活动的天蛾来帮助搬运花粉。为了在昏暗的夜光中彰显自身的存在，除了通过散发香气来引诱天蛾之外，还有就是依靠醒目的白色花朵了。

天蛾是大型昆虫，移动能力不逊色于花蜂，如果画出天蛾的雷达图，白色应该也是它们的偏好颜色吧。遗憾的是对天蛾的观察事例太少，无法进行数据分析。

花蜜隐藏不深的黄色花朵

菜粉蝶喜欢黄色。不过斑缘豆粉蝶、尖角黄粉蝶和红灰蝶似乎比菜粉蝶更喜欢黄色。尤其是红灰蝶，经常能够看到其停留在蒲公英花朵上的照片。这不仅是因为两者的颜色搭配非常漂亮，更是因为拍摄的机会非常多。

在蜂类之中明显表现出颜色偏好的是一种叫小黄花姬蜂的黑色小花蜂，蜂如其名，它非常喜欢黄色的花朵，在雷达图上黄色的一角非常长。除此之外，还有平脚姬蜂、铜色隧蜂、日本艳斑蜂等都喜欢黄色的花朵。

已经通过实验得到证实的，与生俱来就喜欢黄色的食蚜蝇，雷达图上黄色的一角也特别长。

对黄色花朵的列表进行调查后就会发现，许多黄色的花朵都是向上开放的，而且花蜜隐藏得不深。而喜欢黄色花朵的昆虫的共同点则是嘴巴比较短小，要么没有钻进花朵之中的特性，要么比较弱小。第176页所示的蝶类虽然嘴巴不能说短小，但和同类的凤蝶相比可就短多了……总之也归为此类吧。

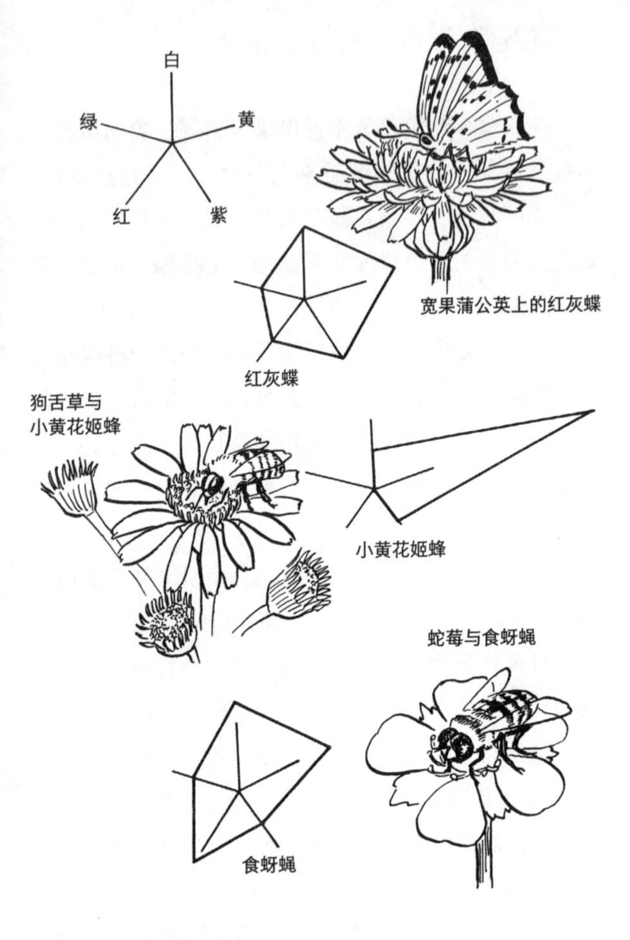

★………喜欢黄色花朵的昆虫们
（根据田中先生 1991 年的数据归纳整理）

花蜂喜欢紫色的花朵

紫色的花朵大多像龙胆花和紫斑风铃草那样有粗大的花筒，或者像东北堇菜和日本紫藤那样有复杂的形状。

要想从这些花朵之中吃到花蜜，需要一定的智慧和力量，只有花蜂能够做到。花蜂是昆虫中的建筑师，能够在土地里挖掘洞穴并修建出六边形的立体巢穴。所以，它们也能够理解花朵复杂的机制，通过巧妙的操作来采集花蜜。紫色和紫红色的花瓣对花蜂来说反而是“虽然比较麻烦，但里面藏有大量花蜜”的标志。

最喜欢紫色花朵的当数黄斑蜂和长须蜂，它们的雷达图在紫色的一角上特别长（参见第178页的图片）。而不擅长应对复杂花朵的甲虫在雷达图上的紫色一角全都很短，甚至有一半连到访紫色花朵的记录都没有。

在蝶类之中，喜欢紫色花朵的只有弄蝶。

弄蝶虽然没有在花朵上进行复杂操作的能力，但它们能够用灵活的嘴巴吸食里面的花蜜。长达12～18毫米的细长嘴巴几乎占了它们身体长度的80%，只要有一点微小的缝隙就能伸进去吸食花蜜，所以嘴巴也是弄蝶的首选武器。

此外弄蝶还有一个有利的形态特征，那就是它们的翅膀与其他蝶类完全不同。其他蝶类的翅膀不能折

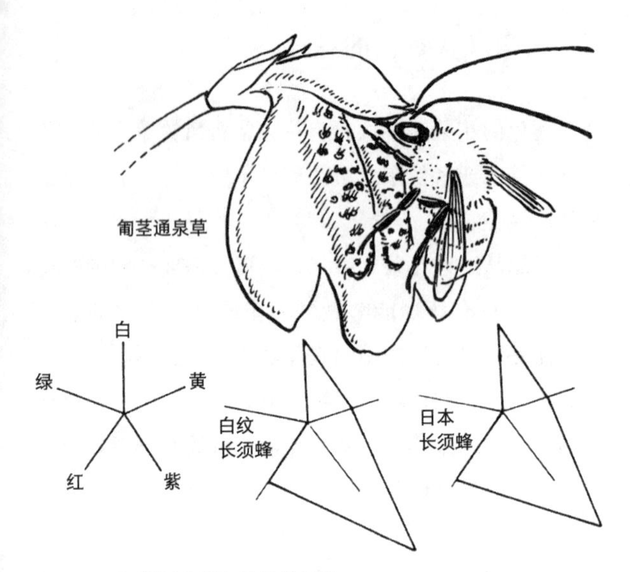

★………匍茎通泉草与雄性长须蜂

叠，而弄蝶的翅膀则能够向后折叠成三角形。因此它们能够将头伸进花朵里面，完全不会被翅膀挡住。正是因为拥有这两个得天独厚的优势，所以弄蝶也频繁光顾原本只是专为花蜂准备的含有大量花蜜的紫色花朵，悠然自得地吸食里面的花蜜。

但站在花朵的立场上来看，不用接触雄蕊和雌蕊就能偷吃到花蜜的弄蝶，完全是不受欢迎的客人。

凤蝶钟情于红色

凤蝶的颜色偏好很有特点，就是在雷达图上代表红色的一角特别长。这说明凤蝶钟情于红色的花朵。

根据我对山杜鹃的观察数据，在大约有70朵山杜鹃花的花园中，共有黑凤蝶、德氏翠凤蝶、蓝尾凤蝶、普通凤蝶这4种凤蝶共计到访了43次。除此之外还有虎花蜂28次、小蜂3次、食蚜蝇2次。其中凤蝶拜访山杜鹃红色的花朵的次数最多。

我正是通过这项观察，发现山杜鹃的花朵形态非常适合由凤蝶来传播花粉。但后来我又观察了几次，都发现虎花蜂的数量更多。要想对这个结果给出合理的解释，恐怕还需要进行更深入的观察和调研。

绿色的花朵含有更加丰富的氮元素吗?

食用土当归和乌蔹莓等开绿色花朵的植物，其花朵的外形都比较小，并且许多花朵聚集在一起组成球形或者上方平坦的花穗。这些花朵的花蜜都露在外面，与八角金盘和水芹等向上开放的白花有相同的特征。但拜访绿色花朵的昆虫与拜访白色花朵的昆虫之间却有一些微妙的差异。绿色花朵上的昆虫主要以嘴巴比较短小的黄蜂、马蜂以及日本蜜蜂为主，此外还有凤蝶。这种偏好也体现在了凤蝶的雷达图上。凤蝶

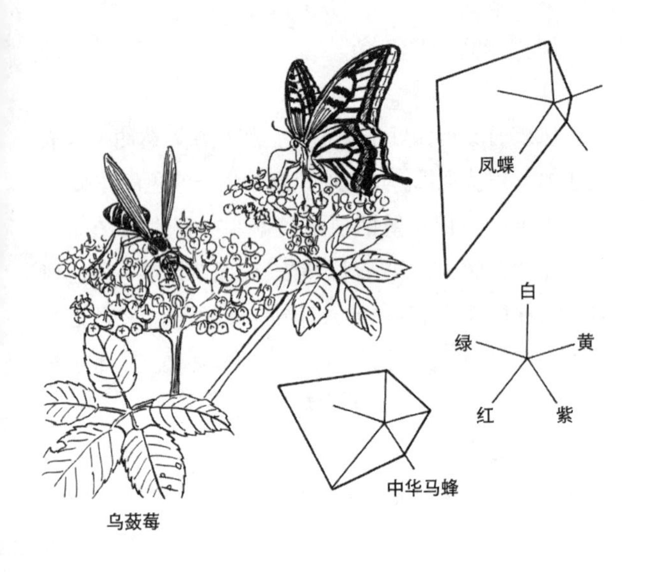

★………喜欢绿色的乌蔹莓的昆虫们

和黄蜂之所以喜欢绿色的花朵，可能是被花蜜中的成分所吸引。

黄蜂与马蜂会捕猎其他的昆虫，并将其带回巢穴喂给幼虫吃。虽然它们拥有如此凶猛的嘴巴，但成虫却无法吃固态食物，只能吃幼虫吐出来的透明液体或者花蜜。据说幼虫吐出的液体之中含有丰富的蛋白质，是成虫非常重要的能量来源。日本有一家企业就根据这些幼虫吐出液体的成分制成了一种饮料，作为健康饮料出售。

此外，如果在山区的小路上小便的话，尿液会引来蝴蝶，据说这是因为尿液中富含氮元素和矿物质。

绿色花朵的雄蕊和雌蕊都很短，可见其主要是通过嘴巴比较短小的黄蜂和马蜂来帮忙搬运花粉的。因此可以推断，在绿色花朵的花蜜中，富含氮元素和糖分。但因为氮元素和糖分也是凤蝶十分喜欢的食物，所以也会引来这些不速之客。当然，目前还没有从这个角度对花蜜的成分进行分析的数据，所以以上内容都只是我的推测罢了。

蜜蜂能分辨颜色吗?

既然昆虫对颜色有偏好，就说明它们也能够分辨颜色。最早通过实验证明这一点的是奥地利的动物学家卡尔·冯·弗里希。他准备了15张边长15厘米的灰色正方形色卡，灰度从浅到深，在其中混入一张同样大小的黄色正方形色卡，将这些色卡平铺展开，在每个色卡上面放一个玻璃盘，只在黄色色卡上面的玻璃盘中倒入糖水，然后等待蜜蜂的到来。当许多蜜蜂都来吸食糖水的时候，他将黄色色卡上的糖水换成空盘子。即便如此，绝大多数的蜜蜂还是会聚集到黄色色卡上的玻璃盘中。反之，他将全部的玻璃盘中都倒入糖水，结果也一样。

为了防止蜜蜂是单纯地记住了糖水的位置或者记住了黄色色卡的色素味道，他在每次实验时都改变色

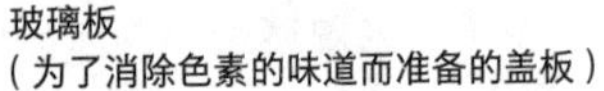

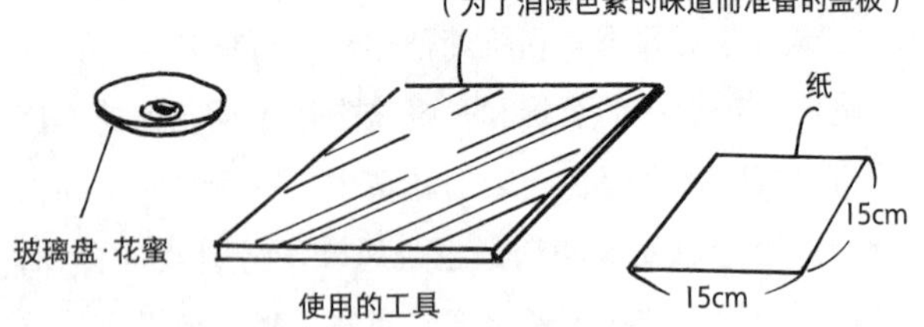

使用 16 张边长 15cm 的正方形纸板。其中一张是黄色的，其他都是灰色的，灰度从浅到深。将玻璃板盖在上面之后，在每张色卡上放一个玻璃盘

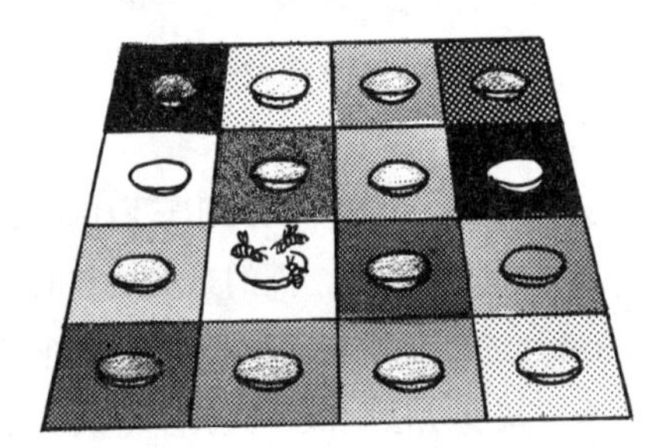

★………弗里希的实验

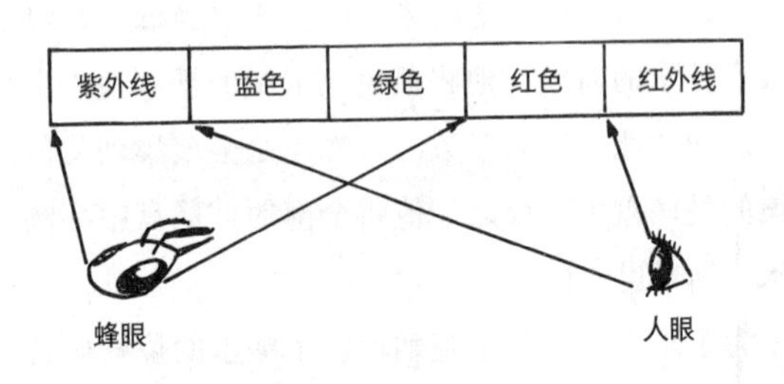

★………人眼与蜂眼辨识颜色范围的差异

卡的位置并且用玻璃板将色卡盖在下面。即便采取了如此充分的对策，蜜蜂还是能够准确地找到黄色色卡，这证明蜜蜂确实能够分辨黄色。

将黄色换成蓝色、橙色和紫色的时候，也能够得到同样的实验结果。但将颜色换为红色和青绿色的时候，蜜蜂就无法区分。这说明蜜蜂至少能够分辨出黄色、橙色、蓝色和紫色。

训练凤蝶

横滨市立大学的蚁川谦太郎先生通过在实验室中训练凤蝶，证明了凤蝶也能够识别颜色。

在此之前，人们已经通过实验证明了蝴蝶会到访人工上色的花朵，也能够因为光的波长变化而逃跑或者伸出嘴巴，但一直没能确认蝴蝶是否能够分辨颜色。

蚁川谦太郎先生在实验室里准备了一个用网罩起来的小桌子，在桌子上放一张圆形的色卡，接着在色卡上滴上花蜜，再将羽化2 ~ 3天的凤蝶放进去。当凤蝶学习了颜色与花蜜之间的关系之后，在桌子上摆放许多颜色不同的色卡，观察凤蝶会降落到哪一种颜色之上。

结果发现，凤蝶在学习红色和黄色的第一天、学习绿色和蓝色的第五天就能分辨出学习的颜色，而且

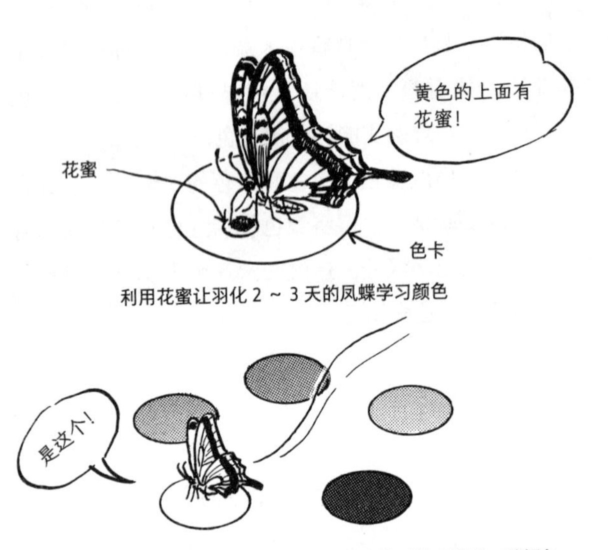

利用花蜜让羽化 2 ~ 3 天的凤蝶学习颜色

即便同时摆放许多色卡，凤蝶也能准确地找到学习的那一种颜色

★………凤蝶的色彩识别训练

随着学习天数的增加，准确率也会逐渐提升。而且将学习的颜色与不同亮度的灰色放在一起的时候，凤蝶会百分之百地选择学习过的颜色。这项实验证明了凤蝶也具有分辨颜色的能力。我是在电视上看到这项实验的，当时凤蝶一直停留在学习过的颜色上的场景给我留下了非常深刻的印象。

1999年，我被邀请前去实验室参观，当时实验室周围种植着许多橘子树以及被昆虫啃食过的卷心菜。这些都是给蝶类准备的食物。对蝶类的研究，首先要从培育植物开始。一般来说，研究昆虫的人对植物也比较了解，而研究植物的人则大多对昆虫知之甚少，可能就是由研究方法的差异所导致的吧。这件事也给我造成了不小的冲击。

用紫外线观察花朵

在弗里希的实验之后，人们发现蜜蜂能够识别人类看不见的紫外线。因此，许多学者都尝试用紫外线来观察花朵。

虽说是观察，但人类的肉眼只能看到紫外线所照之处发出的荧光而已。因此需要借助照相机和特殊胶卷来拍摄黑白照片。结果有的花朵在照片上出现了完全不同的花纹。这些花朵的外围部分能够反射紫外线，所以呈白色，而中心区域则因为吸收紫外线而呈黑色。这种花纹或许是为了更加明显地向昆虫展示出食物的位置。

我自己也拍摄了100多种花朵的紫外线照片，尝试找出其中超出人类可视范围的图案。紫外线在蜜蜂的可视范围中约占三分之一，而在紫外线的照射下能够出现花纹的花朵大约有40%。这些花朵都是像油菜花和蒲公英花那样，在我们人类看来属于黄色的花朵。那么，紫外线究竟给蜜蜂传达了怎样的重要信息呢?

油菜花的可视光图片

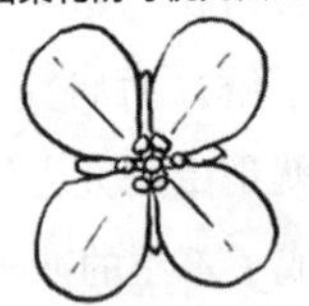

油菜花的紫外线图片

★………蒲公英、油菜花与蜜蜂

1994年，NHK（日本广播协会）放送技术研究所的研究员泷口吉郎发明出了能够和蜜蜂的色觉一样将紫外线彩色化并呈现在显示器上的摄影机，并且通过这种摄影机观察了到访蒲公英花朵的蜜蜂。

结果他发现，蜜蜂一直在蒲公英花朵的中心部位（吸收紫外线的部分）活动。这说明蜜蜂知道吸收紫外线的这部分就是储存花蜜的部分。

不只蜜蜂，蝴蝶、食蚜蝇、蜻蜓、苍蝇等几乎所有到访花朵的昆虫，都有分辨紫外线的能力。其中凤蝶和菜粉蝶甚至能够分辨从紫外线到红色范围的颜色。

当我看到昆虫色觉的研究结果以及花朵的紫外线照片之后，切实地感觉到“花朵就是为了昆虫而开放的”这一事实。

人类喜欢什么颜色的花？

在了解昆虫偏好的花朵颜色之后，我不禁开始思考人类喜欢什么颜色的花朵。如果从花店里摆放的花朵种类和数量来看，就可能会认为人类喜欢红色的花朵吧。

但为了保证结果的客观性，还是应该和调查昆虫的时候一样，对比一下野生花朵颜色的比例和人类选择花朵颜色的比例。正常来说，应该调查人们购买的花朵的颜色比例，但要想获得这个数据，需要进行园艺相关的统计，这对完全不懂统计学的我来说难度有点太高了。于是我决定采取和调查野生花朵颜色比例时一样的方法，那就是翻阅《牧野图鉴》。

我从图鉴中筛选出人工种植的观赏用花朵，同样制成了雷达图。结果和我预想的一样，红色花朵所占的比例比野生花朵高得多，绿色花朵的比例则非常低。《牧野图鉴》出版于1976年，可能有一些花朵的种类与现在流行的花朵种类不同，但花店里红色花朵种类最多的趋势似乎并没有发生变化。那么，为什么人类喜欢红色的花朵呢？我的推测如下。

很久很久以前，在恐龙还活跃在地球上的时代，原始哺乳类动物在夜间都需要小心翼翼地生活，虽然它们拥有能够在昏暗的环境中识别物体的形状和动作的能力，但没有分辨颜色的能力。后来猴子的祖先从

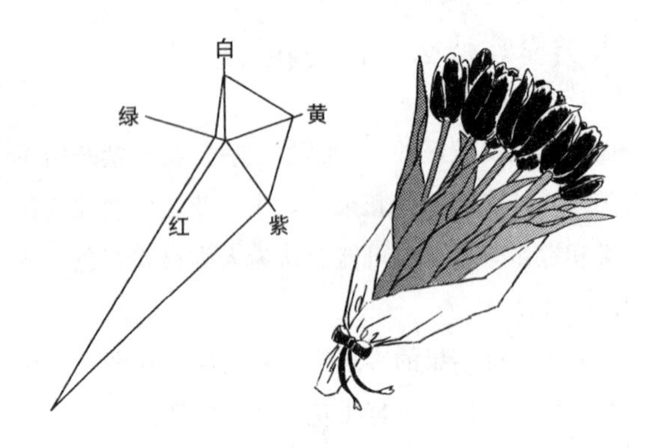

★………人类对花朵颜色偏好的雷达图

这些哺乳类动物之中进化出来，它们可以安全地生活在树上。在这些猴子之中，又出现了能区分绿色与红色的猴子，因为它们能发现远处长着果实的树木，所以生存下去的概率大幅增加。于是能识别红色的遗传基因就在猴子的群体中迅速扩大。

这些猴子最终进化成了人类，我们继承了能够分辨颜色的能力，同时“红色=食物”的意识一定也根植于我们的意识之中，这可能就是人类喜欢红色的原因吧。比如，拉面店和快餐店的招牌大多选用红色作为标志色。我们在买花的时候更偏好红色的花朵，可能也是受潜意识的影响。

Chapter 09 御风之术

风媒花是花中的王者

在前文中，我为大家介绍了花朵如何利用昆虫和鸟类来传播花粉。但也有一些花朵，即便没有昆虫前来也能够传播花粉。

最广为人知的就是利用空气的流动来传播花粉的风媒花。此外还有利用水流来传播花粉的水媒花。因为风和水都不会索要回报，所以这些花朵不需要产生花蜜，也不需要为了醒目而开出华丽的花朵。这样一来，风媒花和水媒花就可以将用于产生花蜜和花瓣的资源与能量，转而产生花粉和种子。

利用水流传播花粉的只能是水生植物，绝大多数的陆生植物并没有这么好的机会。但陆生植物都有利用风来传播花粉的机会，那么为什么不是所有的花朵都是风媒花呢？因为只有植物世界的王者才能利用风来传播花粉。风媒花的代表性植物有被认定为世界遗

产的山毛榉、组成西伯利亚针叶林区的针叶树以及覆盖湖边和河岸的芦苇。这些植物都有一个共同点，就是在其所处的环境内独占非常广阔的面积，也只有这样的植物才能利用风来传播花粉。

随风飘荡的花粉就像香烟的烟雾一样会变得越来越稀薄，所以如果植物与植物之间相距太远，能够抵达雌蕊的花粉就会非常少，产生的种子数量自然也会减少。要想让每个雌蕊都能够接受到花粉，就需要在同一片区域生长大量的相同植物。所以通过风来传播花粉，是只有垄断整片区域的植物才能实现的授粉方法，也可以说是王者的授粉方法。

风媒花的技巧

风没有视觉、没有嗅觉、没有触觉、没有思考、没有喜恶，只是不停地流动着。但在树林中流动的风和在晴空下的草原上流动的风，在强度上是完全不同的。就像虫媒花会配合昆虫的特性而进化出各种各样的形状和颜色一样，风媒花也会根据周围花朵的位置和风的特性，进化出合适的雄蕊与雌蕊。就像虫媒花会在昆虫出现的时候开放一样，风媒花也会根据周围的环境、叶片的展开时期等选择开放的季节。风虽然没有生命，但花朵是有生命的。

19世纪中期，意大利一位名叫德尔皮诺的生态学

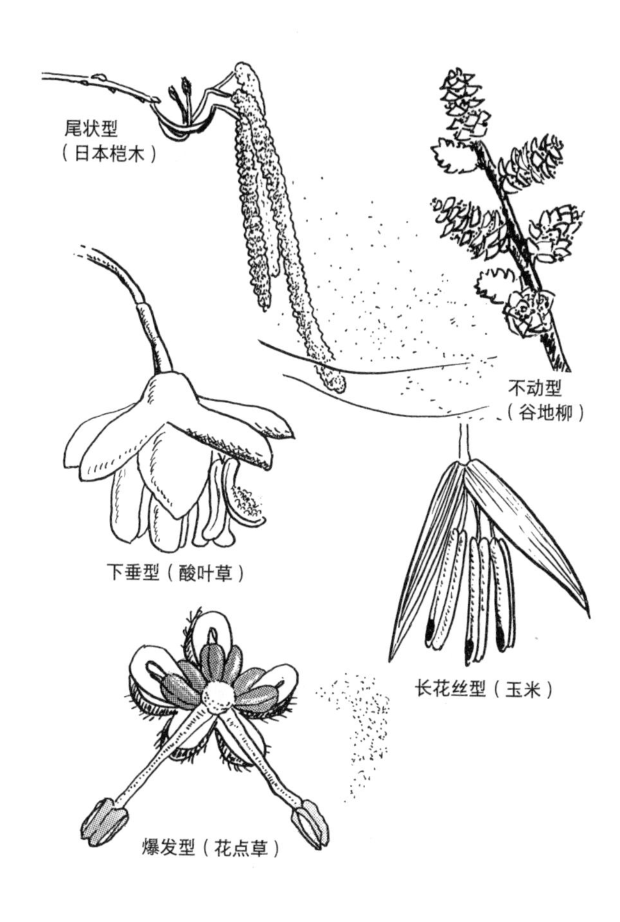

★………风媒花的 5 种类型

家对风媒花进行了分类。根据他的分类，风媒花首先被分为裸子植物（银杏与针叶树）和被子植物（裸子植物之外的开花植物），被子植物又按照雄蕊的形状以及长出雄蕊的花朵和花穗的形状分为5种类型。这5种类型按照风力由弱到强的顺序排列，分别是爆发型、长花丝型、下垂型、尾状型、不动型。

但我个人认为，在对风媒花的生态进行考察时，区分裸子植物和被子植物没有太大的意义，所以在本书中不管是裸子植物还是被子植物，都按照雄蕊的类型来分类。

将花粉弹出来的花点草

金雀儿的花朵在蜂类前来的时候，雄蕊会“啪”的一下弹出来。蓟类植物和柏树能够感知昆虫的到来而移动雄蕊。风媒花中的花点草也拥有将花粉弹出来的能力。不过花点草只有在一直没有空气流动的情况下才会将花粉弹出来。

花点草是在潮湿的林间和田野之中群生的植物，花朵在距离地面10厘米左右的地方开放，花朵的体积很小，不耐强风。在花穗的前端有几朵直径5厘米的雄花。

打开雄花的5片花瓣，能够看到5个朝内侧弯曲的雄蕊。在花朵的中心有一根蘑菇形的立柱。雄蕊的

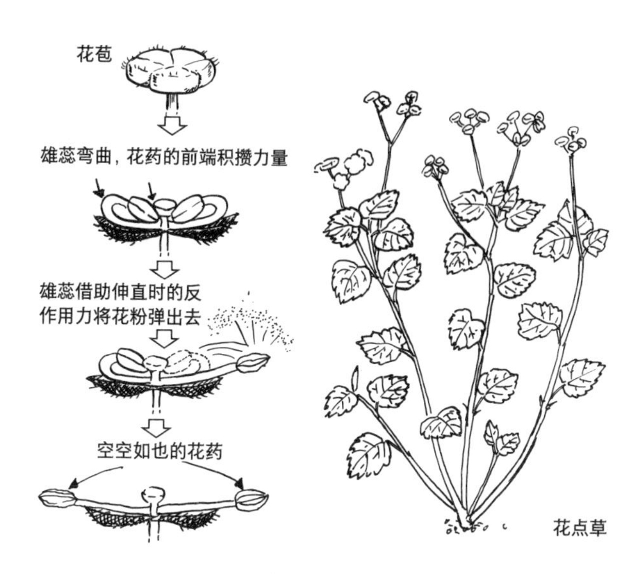

★………花点草（右）与其雄花的破裂阶段（左）

前端被压在蘑菇的伞帽下面。当太阳升起，周围的气温升高时，弯曲的雄蕊就会逐渐伸直，前端挣脱伞帽的束缚向外弹出，在反作用力的影响下，位于雄蕊前端花药之中的花粉就会被弹出去，形成一片花粉团。从外侧观察，仿佛花朵的上面升起了一阵烟雾，然后随着空气的流动而飘散。

我曾经和NHK的摄制组一同前往花点草的生长地拍摄花粉弹出的画面。当时我们在夕阳下发现了一片花点草群生的区域，就在导演靠过去的一瞬间，其中一朵花刚好“啪”的一下弹开了。

导演立刻安排摄影师和灯光师摆好设备准备拍摄。

根据我的观察，花点草大多在上午的时候弹开，而摄制组在傍晚时分才准备拍摄，不由得让我担心是否会成功。

但事实证明，我的担心完全是多余的，花朵一朵接一朵地弹开，摄制组拍到了令人非常满意的画面。或许在强光的照射下，花朵以为时间到了早上吧。

将花粉弹飞的桑树

用放大镜观察桑树花的雄蕊，会发现在雄蕊透明的花丝上有和菜青虫以及毛毛虫的后背上一样的横向褶皱。由此可见，桑树的雄花也能够将花粉弹飞出去。

因为在花点草的雄蕊上就有同样的褶皱。当花丝向内侧弯曲的时候，这些褶皱就会积蓄出反作用力。1998年4月，我在给千叶县的《自然》杂志取材的时候，碰巧看到桑树的上面不断飞出花粉。看到这个景象我不由自主欣慰地笑了起来，因为这说明我的推测是正确的。

桑树的花粉呈椭圆形，长19 ~ 21微米，也就是约0.02毫米。这种大小的花粉即便在风媒花中也算是比较小的类型。

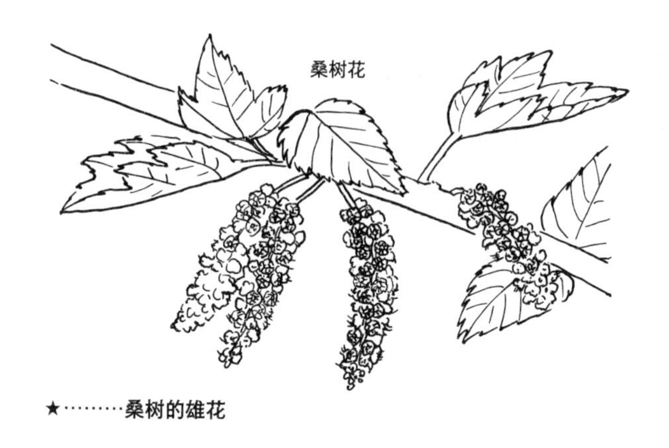

★………桑树的雄花

我统计过风媒授粉的200种野生植物的花粉尺寸，目的是调查通过风传播花粉的方法对花粉的大小是否有影响。结果发现，风媒花的花粉平均长度大约为31微米，而桑树和花点草等能够将花粉弹出的花朵的花粉则只有平均值的一半，也就是15微米，体积更是不到平均体积的八分之一，可以说是在风媒花中花粉最小的一类。

花粉越小，在空中飘浮的时间就越长。据说即使风在树林上方流动时的速度有15m/s，在树林中的风速也只有1.5m/s。可见树林对风速的影响多么大。

一般情况下，弹发型的植物大多生长在树林中光照比较好的位置，或者田野中风速比较弱的环境中，比如作物之间。

因为弹发型的花朵可以凭借自身的力量将花粉弹

出去，所以不用非得等到有风的时候才能传播花粉。而且因为花粉的体积非常小，所以即便风速很弱也能够在空气中长时间飘浮。我认为能够将花粉弹出的能力和花粉体积很小的特性一定是同时进化出来的。

拥有长长花柄的雄蕊：芒草

随风摆荡的芒草是秋季十分有代表性的植物，对芒草来说，风也是传播花粉与种子的重要工具。

话说回来，大家见过芒草的花朵吗？农历八月十五的时候，很多家庭都会在花店里购买芒草，但这个时候芒草的花穗都是尚未开花的。而在农历八月十五过后，芒草的花穗很快枯萎，就这样被扔进垃圾桶里丢掉了。

野生的芒草在长出花穗之后还会继续生长，当花穗高过叶片的时候，就会向周围伸展出花枝并绽放出花朵。淡黄色、黄色以及个别的紫色雄蕊就像节日的灯笼一样挂在花枝的下面，随风摆动。用放大镜观察，可以看见长着长长花柄的雄蕊从白色的绒毛之间垂下来，每当有风吹过的时候，雄蕊就会随着风来回摆动。此时，雄蕊上的花粉也会被抖落下来，随着风飘散而去。

但风不会像昆虫那样因为被吸引而再次拜访芒草

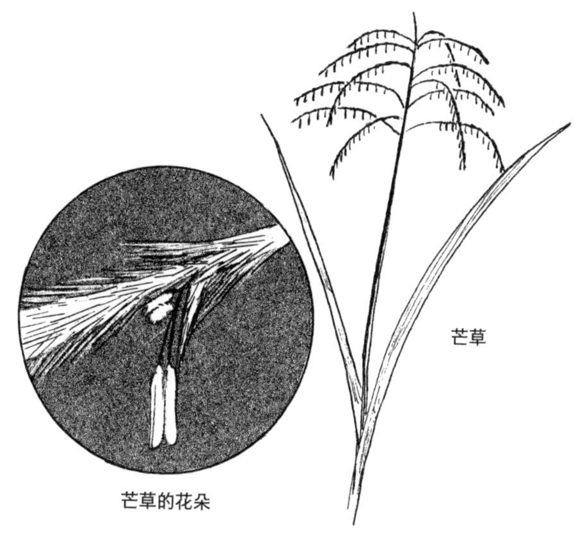

★………芒草的花穗与花朵

的花朵。风只会不规则地流动。所以随风飘散的花粉只会跟着风越飞越远，越来越淡。其中只有非常幸运地降落到芒草花雌蕊上的花粉才能使雌蕊受精并成长为种子。

在开花的时候向周围伸出花枝是为了增加受风的面积，在花朵全部凋谢之后，这些花枝就会向上聚拢到一起。这样就能减少受风的面积，避免被强风吹断。不过，这些聚拢后的花枝还会再次展开，这次是为了让已经成熟的种子顺风飘走，散播到崭新的天地。

车前为什么雌性在前

车前的花朵会由雌性转变为雄性。为什么会这样呢?

车前的花朵有高10 ~ 20厘米的花穗。在随风摆动的雄蕊部分，会开出雄性时期的花朵。用放大镜观察可以发现，此时的花朵有4片很小的花瓣。在花瓣中伸出4根雄蕊，在花柄的前端有心形的花药（花粉袋）。当有风吹来的时候，花药跟着来回摆动，掉落的花粉就会随风飘走。因为雄蕊的花柄很细，而且花药的重心偏高，所以只要有一点风吹来，花药也会跟着摆动。

在这朵花的正中央，有一个前端呈茶色的已经枯萎的雌蕊，说明这根雌蕊是比雄蕊更早长出来的。往花穗的上方看去，可以看到在尚未开放的花苞之中，伸出一根像蘸了水的白刷子一样的雌蕊，可见这些花朵已经开始作为雌性进行生殖活动了。

如果是虫媒花的话，昆虫为了吸食花蜜会主动掰开雄蕊和雌蕊，在这个过程中，沾在身体上的花粉就会被传播到雌蕊上。但风媒花没有这样的步骤。如果雄蕊先散播花粉，那么完成任务之后的雄蕊就只能在后长出来的雌蕊周围“傻站着”。而随风飘过来的花粉还有可能在雄蕊的干扰下无法顺利地落在雌蕊上面，花朵授粉的机会将会减少。如果雌蕊先成熟并伸

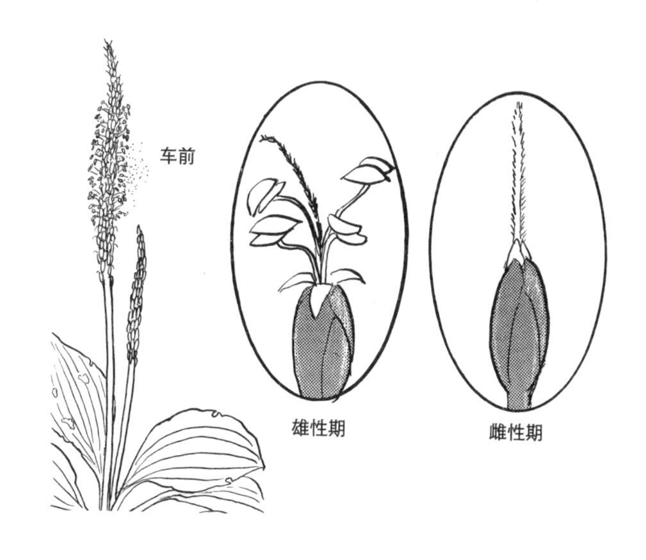

★………车前的花穗与花朵的扩大图

到花朵外面，就能更加顺利地接收到花粉。

正因如此，车前作为风媒花，雌蕊在花朵开放之前就已经开始活动了。

玉米的雄花与雌花

玉米的雄花与雌花分别长在不同的花穗上。

雄花的花穗长在花茎的前端，和芒草一样花枝向周围伸展，其中有从花瓣变化而来的2个白色鳞片与3根雄蕊。雄蕊成熟之后，2个鳞片就会吸收水分膨

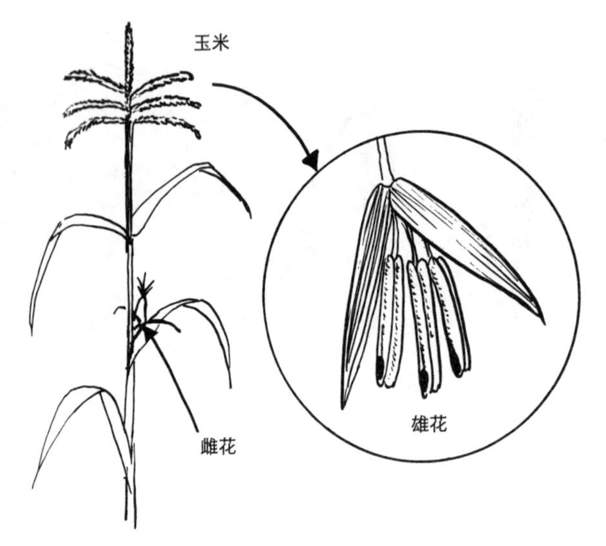

★………玉米的雌花与雄花

胀，然后外壳裂开，将雄蕊露出到花朵的外面。黄色的雄蕊会迅速伸长花柄，从外壳中垂下来。雄蕊的前端有一个开口，每当有风吹过的时候都会从这个开口中撒出花粉。玉米的花粉体积在风媒花中属于比较大的一类，长度大约有0.1毫米。

与此同时，成熟后可以食用的雌蕊的花穗长在叶片的旁边，被包裹在花苞（玉米皮）的里面，只有接收花粉的部分像一条白色丝线一样从花苞的前端伸出，最长甚至能够达到30厘米。这部分只有接收花粉的作用，当雌蕊长成玉米后，这部分就会枯萎变色，也

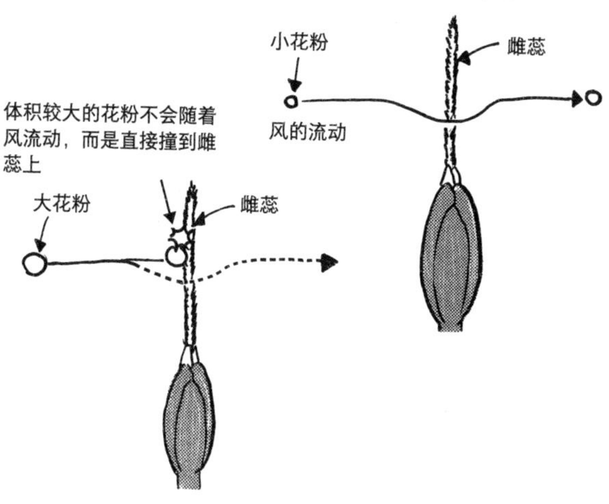

★………花粉的大小与授粉的难度

就是我们常见的玉米须。芒草、玉米、车前，这些风媒花全都是雄蕊有长长的花柄，容易随风摆动，即便在风力较弱的情况下，仍然可以从雄蕊中散落出花粉，随风飘走。根据德尔皮诺的分类法，这些花朵都属于长花丝型。

但是这些长花丝型的花释放出的花粉体积都比风媒花的平均花粉体积大得多。在风力较弱的情况下释放出花粉的话，花粉飞不了多远就会掉落下来，这样非常不利于花粉的传播。为什么长花丝型的花朵会进化出这样的花粉呢？

仔细观察长花丝型的植物就会发现，这些植物大多紧密地生长在一起。它们植株之间的距离很短，花粉只需要飞出一点就能抵达其他植株的雌蕊上。在这种情况下，体积较大的花粉反而更有利于授粉。

一般情况下，当花粉随着风来到雌蕊附近的时候，风会在雌蕊前面忽然转变方向，从旁边流动过去。

但体积较大的花粉在惯性的作用下就不会跟着风的流动转向，而是会直接撞到雌蕊上。体积越大的花粉，在惯性的作用下撞到雌蕊上的概率就越大。

这样一来，紧密生长在一起的长花丝型花朵就会进化出更容易撞击到雌蕊上的大体积花粉。

日本柳杉花朵的生态

每逢立春时节，新闻媒体都会播报与花粉有关的信息。但电视上播放的大多是与花粉数量和花粉症等相关的内容，却很少从生物学的角度去解释为什么植物会释放出如此大量的花粉。接下来就让我们站在日本柳杉的立场上，来看一看它们的生态吧。

日本柳杉是针叶树，在树枝上长满了剑形的树叶，树枝的前端还会长出许多褐色的椭圆形颗粒。这些颗粒就是雄花，长约5毫米，表面覆盖着菱形的鳞片，看起来就像是一个微型菠萝。这些菱形的鳞片之

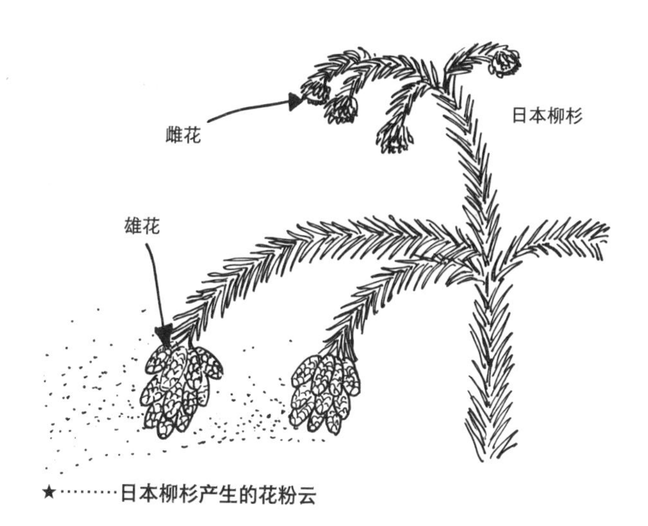

★………日本柳杉产生的花粉云

间有细小的缝隙，每当有风吹过，树枝随风摆动的时候，花粉就会从这些缝隙中飘散出来。

京都府立大学的斋藤秀树先生和竹冈政治先生对日本柳杉的花粉生产量进行了调查，结果发现一朵雄花产生的花粉数量多达24万～44万粒。1公顷的日本柳杉林产生的花粉就有6兆6千亿粒。如果装在标准大小的纸壳箱里，需要六七个才能装满。

日本柳杉之所以产出如此大量的花粉，是因为雌花特殊的结构。雌花的直径虽然只有5毫米，非常小，却包裹着许多鳞片，每个鳞片的旁边都有一个像通心粉的切口一样的绿色开口，分泌出一点透明的液体。

日本柳杉与前面介绍过的植物不同，花粉会直接变成种子的胚珠。当花粉落在通心粉切口上的液体表面时，花粉就会和液体一起被吸收回去成为受精的胚珠，一年后长成褐色的种子。

这个透明液体表面的直径只有0.1毫米。而且雌花是向下开放的，花粉撞到液体上的概率非常低。所以雄花只能依靠释放出大量的花粉来尽可能地提高授粉成功的机会。

下垂的雄花：
矮豚草

20世纪70年代，矮豚草因被公认为花粉症的罪魁祸首而遭到批判，但如今已经成了几乎被世人淡忘的杂草。

那个时候，只要有空地的地方就一定有矮豚草。夏天刚过，矮豚草的花茎前端就会长出绿色的花穗，长出许许多多下垂的花苞。不过这些花苞并没有漂亮的花瓣，只有直径3 ~ 4毫米的绿色斗笠形花苞，下面露出一些黄色的颗粒。每个颗粒都是一朵雄花，雄花的运作机制也非常有趣。

雄花的花蕾呈水滴形，其前端与花苞相连。在放大镜下小心翼翼地将花蕾撕开，会发现里面是沾满了黄色花粉的雄蕊。在雄蕊的根部有透明的小型圆锥体，这是残余的雌蕊。在雌蕊的前端长着许多好像水

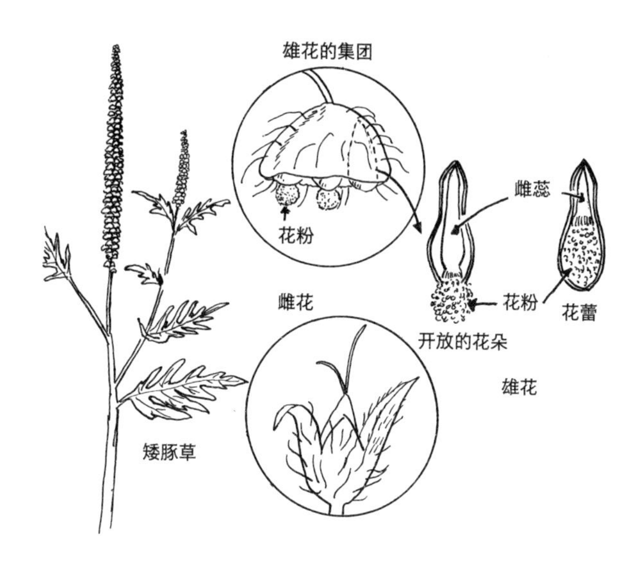

★………矮豚草雄花产生花粉的方法

彩画笔尖一样的绒毛。

请大家回忆一下前面介绍过的野蓟。在雄蕊花筒之中的花粉，会被雌蕊的凸起部分推出去。生长在矮豚草雌蕊前端的绒毛，也是具有同样作用的集粉毛。当矮豚草开花的时候，雌蕊会急速生长，将雄花中产生的花粉推出去。花粉推出来的时候会聚集在花朵下面，但当花粉干燥之后，就会随着空气的流动而飘散。由于雄花的集团是下垂的，所以更有利于散播花粉。

矮豚草的雌花长在雄花下方叶片的旁边，从花苞

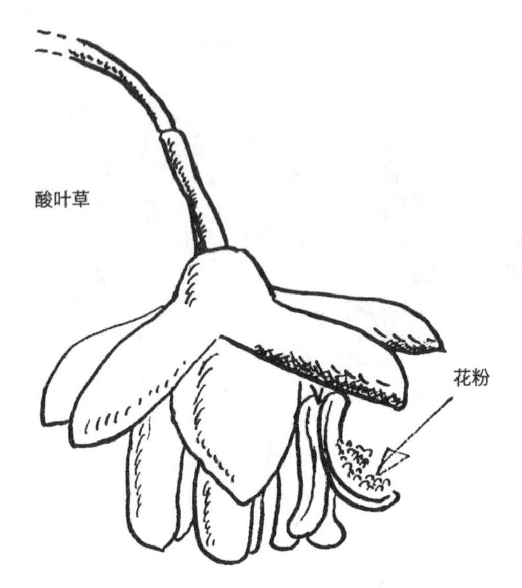

★………酸叶草的雄花

之中伸出两根白色的柱头，等待花粉降临。在柱头上有许多细小的凸起，可以增加授粉概率。

像矮豚草这样向下开放，当有风吹过的时候就会随风摆动并释放出花粉的花朵被归类为下垂型。

酸叶草也属于下垂型。酸叶草的雄花直径大约5毫米，在6片绿色的花瓣下面吊着6根香蕉形状的雄蕊，每当有风吹过就会来回摆动。

1根雄蕊之中储存着大约2万粒花粉，从前端逐渐裂开让花粉随风飘散。雄蕊的花柄（花丝）呈圆锥形，与花苞连接处非常纤细，因此储存花粉的花药部分很容易随风摆动。再加上酸叶草的花朵本身也很容易随风摆动，所以整朵雄花都对空气的流动十分敏感。

日本桤木像尾巴一样的花穗

像日本桤木和白桦那样雄花的花穗如同尾巴一样下垂的植物，根据德尔皮诺的分类法属于尾状型。

在东京周边，日本桤木的花朵会在立春前后开放。在尚未长出叶子的枝头，就会开始垂下长5 ~ 10厘米的黄褐色细长花穗，给春季增添一分色彩。开风媒花的树木，都会在长树叶之前先开花，这是保证生存繁衍的重要特性。因为一旦树木的枝叶茂盛起来，就会极大地降低风速，而且好不容易随风飘散的花粉也会落到树叶上面，导致授粉失败。为了避免出现这样的问题，风媒花的树木都会先开花后长树叶。即便如此，日本桤木也属于开花特别早的一类，直到开花之后2个月才会长出叶子。

日本桤木的长花穗其实是雄花的集团，暗褐色的花苞规则地覆盖在花穗的表面，看起来就像是编织在一起的绳索。在花苞的下方是许多圆形的雄蕊。在花穗刚长出来的时候，花苞紧紧地贴在花穗上，抵御寒冷的北风。但在开花的时候，中轴就会伸展开来，花苞与花苞之间露出缝隙，雄蕊也获得了自由的空间。此时，装满了花粉的圆形雄蕊会从中间裂开并露

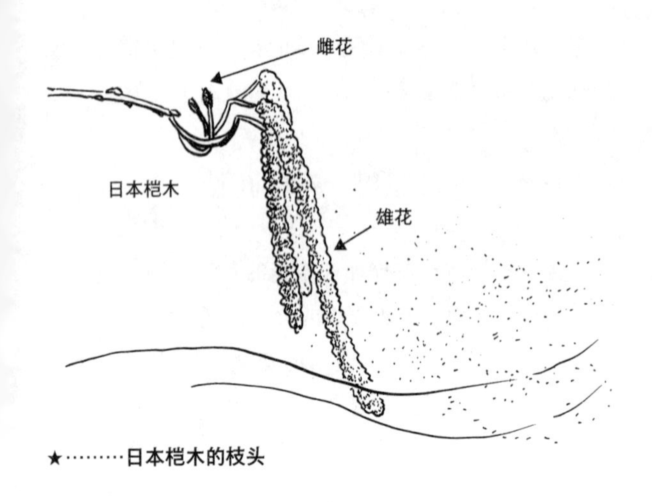

★………日本桤木的枝头

出花粉。变得柔软的花穗会随风摆动，将花粉散落在风中。

花粉的目标是雌花。雌花的花穗呈红紫色，与雄花的花穗长在同一个枝头上，数量只有一两个。长着雌花花穗的树枝即便在寒风中也依然保持挺立，支撑着长度只有5毫米的小花穗。在雌花花穗的圆形花苞之中，雌蕊的前端透过花苞的缝隙等待着花粉的来临。我的朋友北村治拍摄了给雌花授粉的照片并上传到了他个人的主页上。因为雌花的花苞表面十分光滑，所以花粉不会沾在上面，只会落在雌蕊上。

松树的不动雄蕊

在我的第一本书《花与昆虫》中，也介绍了几个风媒花的例子。我还在书中搭配了松树花的照片，但那张照片上的松树花已经停止了授粉活动，也就是已经枯萎的花朵。当时我还不会区分盛开的和枯萎的松树花，所以才闹出了这样的乌龙。

在松树那被针叶包裹着的枝头，首先会长出覆盖着银色绒毛的嫩芽。随着天气转暖，嫩芽会迅速生长成新的树枝。在新枝的前端会长出几朵雌花，新枝的下方则是许多雄花。虽说是雄花和雌花，但实际上都没有花瓣。雄花的形状就像是一个细长的松塔，黄色的雄蕊紧密地贴合在一起。

松树的花朵在长出新枝和新叶之前，因为没有花瓣，所以不仔细观察就很难分辨花朵是否开放，犯下和我之前一样的错误。判断松树花开花的依据是雄花和雌花的鳞片，当这些重叠的鳞片之间出现细微的缝隙时，就说明要开花了。

雄花的中心轴向外伸出，使雄蕊相互之间产生缝隙之后，雄蕊的外壳就会干燥开裂，向外散发出花粉。但因为雄花没有将花粉释放出去的机制，所以只能等待强风将花粉吹走。松树作为风媒花，花粉属于体积较大的一类，只有强风才能将花粉吹走，这样可以保证花粉能够被传播到更远的地方。

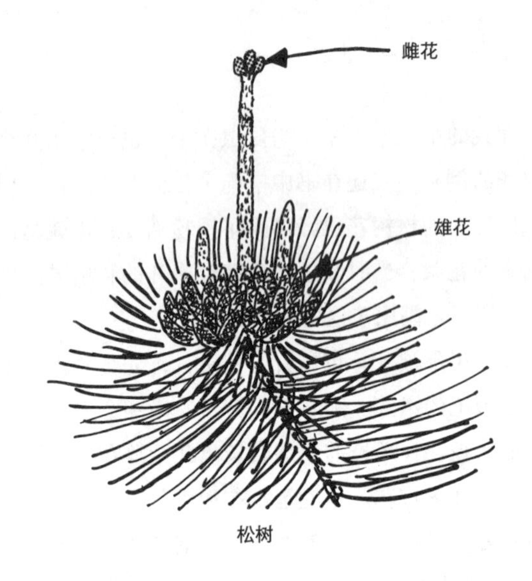

松树

★………松树的枝头

松树雌花的长度大约5毫米，鳞片与鳞片之间有细微的缝隙。随风而来的花粉需要从缝隙中钻进去使雌花受粉。

雌花的内部有一个很小的空间，胚珠就在其中。与日本柳杉一样，松树也没有雌蕊，花粉需要直接落到胚珠的附近。

当花期结束之后，雌花的鳞片就会闭合，将花粉紧密地包裹在其中，之后就是长达14个月的受精过程。到了第二年秋天，种子才会成熟。

生长在北方湿地的谷地柳

谷地柳是生长在寒冷地区湿地之中的灌木，高约50厘米。有雄株和雌株，树枝的前端长有松塔形状的花穗。雄花的花穗长约1厘米，数量有五六个。每个花穗上有20个左右雄花，但这些花都没有花瓣，只在坚硬的茶色花苞旁边长着6根雄蕊，看起来一点儿也不像花朵。雄蕊比花苞更短，释放出的花粉都聚集在像勺子一样的花苞上面。从谷地柳的雄花和雄花的花穗上，完全看不出任何主动将花粉送出去的机制，但这其实也是植物的一种策略。

虽然最高的谷地柳也不超过1米，但它们在地面下的根茎十分发达。茨城大学的堀良通先生通过研究发现，一棵谷地柳的地下根茎直径有6～8米。如此发达的根茎几乎和一些高大的树木相差无几。正因为谷地柳占地面积广阔，所以其雄蕊才非常坚固、一动不动，只等待很强的大风吹来，将花粉带到更远的地方。

谷地柳花粉的直径为26～27微米，这属于风媒花花粉的平均大小。如果谷地柳也像芒草和酸叶草那样，即便很弱的风力也会将花粉吹走，那么花粉飞不了多远就会掉落在湿地之中，根本无法抵达旁边的植株。而谷地柳现在的这种结构，只有强风才能将花粉吹走，这就保证了花粉可以飞到更远的地方，增加降

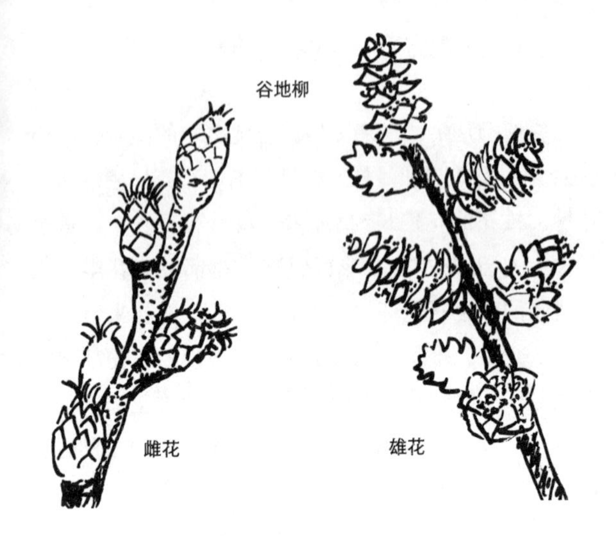

★………谷地柳的花穗

落到其他植株的雌蕊上的概率。

谷地柳的雌花也拥有松塔形的花穗，向前伸出3～4毫米长的细长红色雌蕊，等待花粉的来临。

Chapter 10 摆脱昆虫大作战

移动的雄蕊：直立婆婆纳

在前文中讲述阿拉伯婆婆纳的时候，我提到自己曾经错误地认为阿拉伯婆婆纳是到了晚上就会闭合花瓣、自花授粉，然后凋零的一日花，但这个推测在直立婆婆纳身上却是成立的事实。

这种植物的花茎直立，因此得名。它们是田野周围和道路两旁十分常见的杂草，从晚春到初夏都会开出蓝色的花朵，但因为花朵的直径只有3毫米，而且不像阿拉伯婆婆纳那样有醒目的花柄，所以很少有人注意到这些花朵的存在。

直立婆婆纳的花朵从上午10点左右开始开放。虽然花朵的直径非常小，但在放大镜下观察的话也非常漂亮。当花朵开放之后，2根雄蕊就会在雌蕊的左右两侧产生白色的花粉。雄蕊会逐渐向花朵的中心靠拢，到了中午时分从两侧与雌蕊靠拢在一起，完成自花授粉。到了下午2点左右，花朵就会闭合。整个花朵的生命周期只有短短的4小时。

在虫媒花之中，像直立婆婆纳这样能够自花授粉的花朵，大多花瓣比较小、花柄比较短。原因在于长出更长的花柄需要投入更多的资源和能量。开花对植物来说就像是缴纳生活费和水电费一样，它们需要“将钱花在刀刃上”，用有限的资源尽可能多地留下

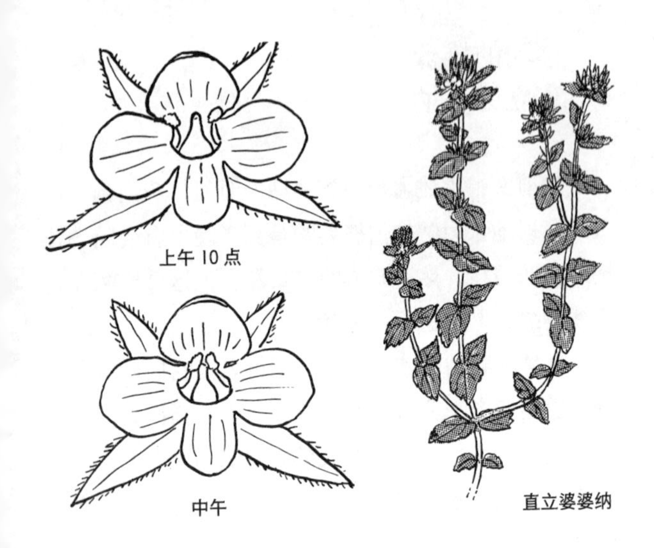

★………直立婆婆纳

种子。

可能有人会问，那为什么蜀葵的花朵都那么大呢？这是因为蜀葵大多是人工种植的，人们专门挑选出能开出美丽花朵的种子来培养，结果蜀葵的花朵就在人工筛选的影响下越来越大。

像直立婆婆纳这种能够通过自身的花粉授粉并产出种子的花朵被称为“自花授粉花”。

在尾濑的实验：
水芭蕉（二）

在第四章提到过的高清取材的第二年，1989年，我在福岛县的仁田沼给10棵水芭蕉的花穗做了记号，然后用了3天的时间，每天早中晚3次拍摄水芭蕉。然后我将这些照片全部打印了出来，按照顺序摆放在桌子上，观察每一朵花发生的变化。

最终我连续观察了475朵花，发现雄蕊生长的顺序有一定的规律。首先长出来的是位于雌蕊下方的雄蕊，接着是位于雌蕊上方的雄蕊，然后是雌蕊左右两边的雄蕊，最后是剩下的雄蕊。当然这并非由我首次发现，大桥广好先生已经在图鉴《日本的野生植物》（平凡社）中介绍过了，我只是重新确认了一遍而已。

但这样一来就有问题了。如果雄蕊在长出来之后就破裂的话，黄色的花粉就会盖在雌蕊的上面。如果这些花粉能够使雌蕊受精，那么即便没有昆虫和风来帮忙搬运花粉，水芭蕉也一样能够产生种子。于是我借着尾濑综合学术调查的机会，开始通过实验来调查这个问题。

在接到“水芭蕉要开花了”的电话通知后，我立即动身前往尾濑。我用事先准备好的塑料袋套在尚未开放的花苞上面，然后又在周围三个方向用塑料棍增加塑料袋的强度，最后用红色的胶带缠上一圈增加醒

★………尾濑的水芭蕉调查研究

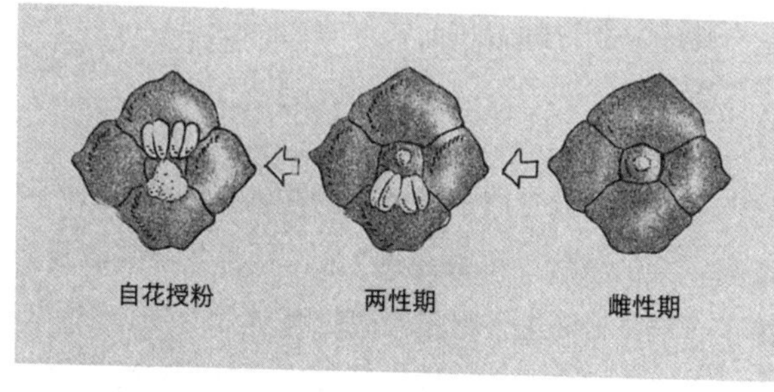

★………水芭蕉花朵的变化

目度。套上塑料袋之后，既可以阻止昆虫，也能够避免被风吹来的花粉。

实验的结果和我预想的一样，在974朵花中有305朵长出了一两个种子，这说明自花授粉确实能够产生种子。水芭蕉既可以通过昆虫和风来搬运花粉，也可以通过自花授粉。

后来我才知道，我的这次实验给许多摄影师带来了很大的困扰。我给水芭蕉的花朵套袋子的地方，是水芭蕉的摄影胜地之一，但我给许多花都套上了袋子还插上了红旗。据说有的摄影师还向景区投诉“学术研究在哪儿都能搞，像这样的实验应该去深山里做才对”。借此机会，我想向当时受到影响的摄影师和景区的工作人员们致以诚挚的歉意。

用移动的雌蕊确保万无一失：蜀葵

蜀葵是在初夏时节能够开出红色、粉色、白色等漂亮花朵的植物，植株高达2米。这种花朵的雌蕊会为了寻求花粉而进入雄蕊聚集的地方。

在我上班路上的宠物医院旁边，每年都会有盛开的蜀葵。直径5～7厘米的花朵朝着斜上方绽放。为了观察蜀葵的花朵从开放到凋零的变化过程，我用圆珠笔在这些花的花瓣上做了记号，然后每次路过的时候都会用笔记本记录下雄蕊和雌蕊的状态。

结果我发现每朵花的寿命是两到三天。在研磨钵形状的花朵中心，竖立着一根覆盖着粗大颗粒的奶油色立柱。这些颗粒就是雄蕊，许多雄蕊共同组成了一个细长的花筒。通过放大镜可以看到，从雄蕊之中产生出有许多大颗粒的白色区域。在花朵开放的第一天一直都是这样的状态，花朵底部还会分泌出花蜜，等待蜂类尤其是熊蜂前来。

在花朵开放的第二天或者第三天，从雄蕊群的中心会伸出几根好像白色面条一样的雌蕊。如果蜂类在此时将花粉搬运到这里，雌蕊就能够完成授粉。不过即便在这个阶段没有成功授粉，雌蕊还会继续向外伸出，像喷泉的水流一样向下弯曲，直到前端接触到聚集的雄蕊。这样一来，雌蕊就完成了自花授粉。这是

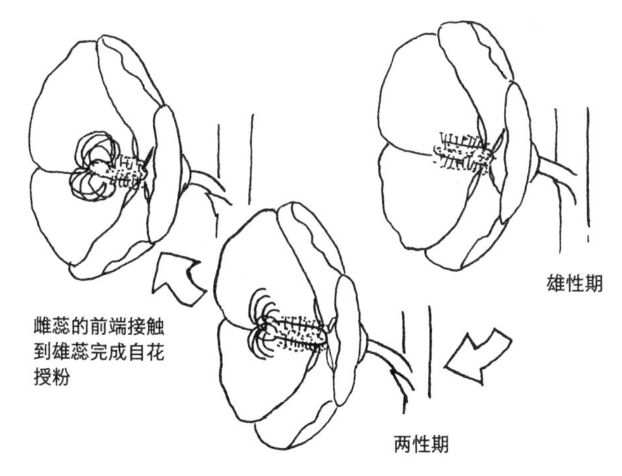

★………蜀葵不需要昆虫的帮助

为了在没有昆虫前来的情况下也能产出种子的保险措施。

像这样雌蕊通过自己主动移动完成自花授粉的例子十分少见，绝大多数的花朵都是雄蕊移动，或者雄蕊和雌蕊从一开始就连接在一起完成自花授粉。

有这么大且醒目花朵的植物自动完成自花授粉的情况十分罕见，可能是因为蜀葵作为一种观赏植物从原产地被传来遥远的外地，失去了本来帮助传播花粉的昆虫，为了生存下去才迫不得已采取这种自花授粉的手段吧。

城市中的生存策略：鸭跖草

杂草的花朵大多朴实无华，但鸭跖草的花朵却有两片好像米老鼠的耳朵一样的蓝色花瓣，在城市的绿地中看起来非常醒目。能够在昆虫稀少的城市区域生存下来，说明这种花朵一定有独特的策略。

鸭跖草的花朵在天还没亮的时候就开始开放，在日出之后一小时左右完全盛开。在两片蓝色花瓣的前面是六根雄蕊和一根雌蕊，等待昆虫的来访。

不过鸭跖草并不会分泌花蜜，只有花粉。但如果花粉全都被昆虫们吃光的话就无法达到授粉的目的了，所以鸭跖草还需要使用一些欺骗的技巧。在鸭跖草的花朵上最适合昆虫降落的地方，有三根X形的黄色雄蕊。因为花粉一般是黄色的，所以昆虫会根据以往的经验落到这三根雄蕊上。这些雄蕊虽然很显眼，却只在X形交叉点的左右两边有很少的花粉。昆虫们全都会被这些过度包装的虚假宣传欺骗。X形雄蕊上的花粉很小而且没有生殖能力，是专门给昆虫准备的“假花粉”。

在花朵的前方有两根“O”字形的雄蕊，其中还有一根倒“Y”字形的雄蕊。当昆虫们舔舐X形的雄蕊上的假花粉时，这三根雄蕊就会碰触到昆虫的胸部和腹部，将真正的花粉沾在昆虫身上。

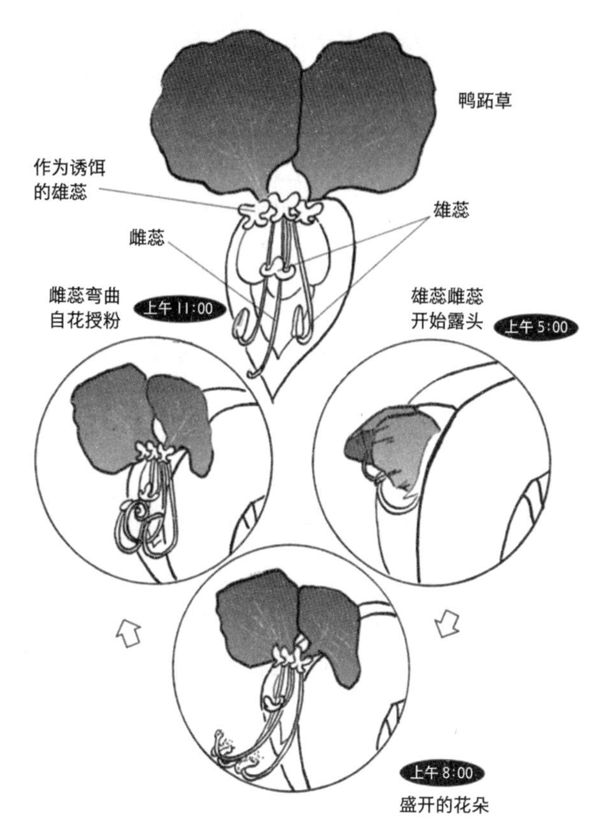

★………鸭跖草花朵的时间变化

在昆虫比较多的地方，鸭跖草的这种策略当然可以帮助它们繁衍下去。但在昆虫比较少的城市地区就没那么顺利了。于是鸭跖草的花朵又采取了其他的方法。

鸭跖草的雌蕊在上午10点左右就开始向内侧弯曲。经过大约2小时，雌蕊就会像弹簧一样弯曲到花朵的中心。与此同时，原本向前伸出的“O”字形雄蕊也会开始弯曲。在弯曲的过程中，雄蕊和雌蕊的前端就会接触到一起，通过自花授粉来产生种子，这就是鸭跖草在城市之中也能生存下去的秘诀。

在日落前2小时左右开放的紫茉莉也采用同样的方法自花授粉。生长在自然环境中的紫茉莉，可以依赖天蛾帮助搬运花粉。但生长在城市之中的紫茉莉很少能等到天蛾的到来，而且因为在傍晚时分才开放，花筒又很长，所以蜂类和蝶类也不会来。

因此，紫茉莉的雄蕊和雌蕊会在晚上12点的时候开始向花朵的中心弯曲，到第二天早晨5点钟的时候完全弯曲到花朵的中心部位。在这个过程中，紫茉莉的雌蕊和雄蕊就会接触到一起，完成自花授粉。

杂草的智慧：
繁缕

被称为“春之七草”之一的繁缕是能够开出可爱的白色小花的植物。用放大镜观察，能够看到均匀排列的5片花瓣和5 ~ 10根红紫色的雄蕊，有一种对称的美。

繁缕的花朵在春光中开放，白天会从雄蕊底部膨

★………繁缕的花朵与自花授粉的机制

胀的部分分泌出花蜜，吸引食蚜蝇和蜜蜂前来帮忙搬运花粉。花朵在傍晚时分会开始闭合，此时雄蕊会靠近花朵的中心部分，将花粉沾在雌蕊的白色柱头上。因为繁缕如此积极地自花授粉，所以其结果率高达 94% ~ 99%。

本来花朵应该接受其他植株的花粉，吸收花粉中含有的不同性质的遗传基因，让自己的后代拥有更多的可能性，以此适应更复杂的生存环境。但生长在田边道旁的杂草植物的花朵，却大多拥有自花授粉的特性。

这是因为杂草类主要生长在人类的生活圈之内。之所以被归类为杂草，是因为这些植物是栽培目的之外的野生植物。因为这些大多是一年生草本植物，所以如果没能在当年产出种子的话就无法留下后代。一般情况下，野生植物会跟随自然的节奏开花结果，但生长在人类生活圈之内的杂草，随时都有可能被人类出于各种各样的原因除掉，完全没有固定的生长节奏。

所以，杂草无法像典型的虫媒花和风媒花那样，需要非常复杂的机制完美地配合才能成功授粉。那样的话好不容易长大开花的杂草或许就会在无法产生种子的情况下凋零。

而且很多杂草都会开出比较大的花朵。如果这些花朵能够接受到来自其他植株的花粉当然最好，但如果实在接受不到，还有自花授粉这最后的“撒手锏”。

这就是杂草避免灭绝悲剧的方法，也是杂草能够在人类的生活圈中生生不息的秘密武器。

升马唐的二段生长战略

升马唐是常见于田野周围的杂草，花穗的形状与芒草和玉米十分相似，但整体的高度一般都不超过1米。

这种植物也和芒草一样有外壳，开花的时候从外壳的缝隙中伸出紫红色的雌蕊以及带有一点紫色的3根雄蕊。与芒草和玉米的不同之处在于，升马唐的花穗从叶片中长出之后马上就会开出第一批花朵。芒草和玉米为了让花粉能够更好地乘风飞翔，会先向周

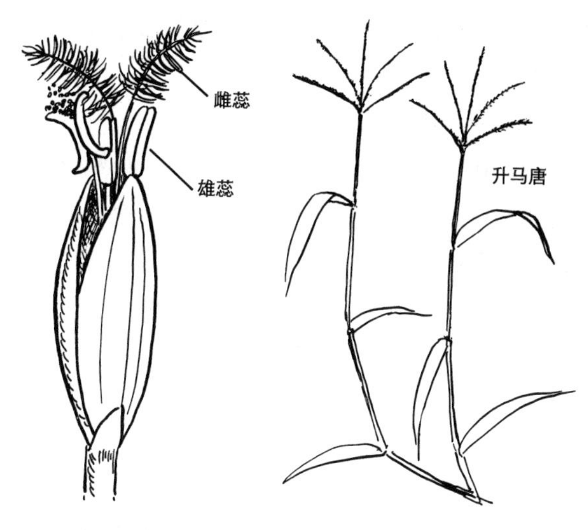

★………升马唐的花朵

围展开花枝，增加受风面积然后再开花。而升马唐在花穗刚刚长出、花枝还没展开的时候就已经开花了，这样一来花粉就无法充分地利用风力。升马唐之所以选择这样的方式，是因为雄蕊刚从壳里露出来之后就会马上产出花粉，能够直接将花粉撒到同时长出的雌蕊上。与繁缕一样，升马唐作为杂草也需要通过这样的自花授粉来保证自己的繁衍。

但升马唐在保证繁衍的前提下，也会尽可能地尝试通过风力来授粉的方法，因此升马唐会在开出第一批花朵之后继续生长，然后展开花枝，开出第二批花朵。这第二批花朵因为所处的位置较高，所以也更容易通过风力来传播花粉。升马唐正是凭借这巧妙的两段式生长战略，一直在田野的周围繁衍生长，成为最难以清除的杂草。

升马唐和芒草等禾本科的植物大多是风媒花，在日出时分开始开放。要想开展观察就必须早起，因此我对禾本科植物的观察记录对象几乎都是生长在自己家附近的杂草。即便如此我还是整理出了25种禾本科植物的授粉方法，并发表于1975年的《植物研究杂志》上，这篇文章受到了学界的好评，甚至有海外读者希望能够出版翻译版。

到了40年后的今天，日本的研究者们仍然将目光只放在虫媒花的身上，实在是令人非常遗憾。如果从现在开始认真研究风媒花，那真的可以说是走在世界前列的研究领域。希望日本的研究者们也能够对此重视起来吧。

不开放的直苞堇菜

每当在树林中看到紫色的花朵盛开时，都会让人觉得春季真的到来了。其中一种叫直苞堇菜的花朵，花期从春季一直延续到夏季。但直苞堇菜的花朵非常不显眼，只是悄悄地繁衍生息。

直苞堇菜的花朵与东北堇菜和长刺堇菜一样，在向下弯曲的花柄前端开放，雄蕊包裹在雌蕊的外面。

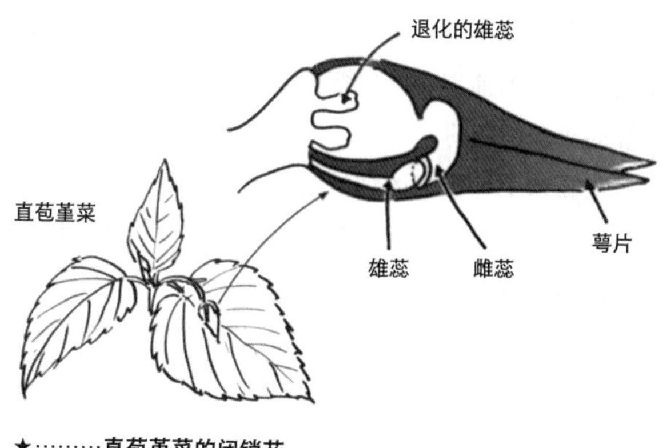

★………直苞堇菜的闭锁花

在花朵开放时，前来吸食花蜜的蜂类会帮忙搬运花粉，花朵则借此机会完成授粉。

堇菜属的植物大多用同样的方法来吸引昆虫帮忙搬运花粉。而且绝大多数的种类在开放的花朵之外还会长出一种不开放的花朵。这种类型的花朵被称为“闭锁花”，正如其字面意思一样，这种花朵不会开放，雄蕊和雌蕊都被封闭在花苞之中进行自花授粉。曾经从野外移栽过堇菜属的植物回家种植的人可能都有过这样的经验吧，每天都期待着花蕾开放，但不知何时花蕾直接变成了果实。实际上这个花蕾就是闭锁花。

闭锁花在花蕾长度达到3毫米左右的时候就完全成熟了。此时如果将绿色的花萼摘掉，就会看到其中被纤细的鳞片一样的东西包裹着的长约2毫米的雌蕊。

在鳞片之中，前端呈褐色的两片就是能够产生花粉的雄蕊。雌蕊的前端会向后弯曲并且张开一个缝隙，随后靠向雄蕊的花粉。

从花粉上伸出来的细丝会伸进雌蕊前端的缝隙之中。这条细丝是花粉管，与位于雌蕊之中的胚珠接触后就能够使其受精。

也就是说，包括直苞堇菜在内的堇菜属的植物，除了在春光中绽放出艳丽的花朵吸引昆虫帮忙传播花粉之外，还能够依靠闭锁花的自花授粉保证产出种子，相当于拥有双重保护措施。

宝盖草的绝技

水芹、荠菜、萝卜、芜菁、繁缕、鼠麹草、宝盖草（稻槎菜）——这些植物被称为“春之七草”。虽然我每年春天都会喝七草粥，但还从没尝过一碗粥里加入全部七草嫩叶的七草粥。我在群马县的时候，偶然发现家旁边的田地里就有我在植物图鉴上看到过的宝盖草。于是我立刻拜托母亲将宝盖草也加到七草粥里尝尝。可惜加了宝盖草的七草粥吃起来很粗糙，口感变差了许多。后来我才知道，原来“春之七草”里面的“宝盖草”其实是现在叫作稻槎菜的一种植物。

宝盖草是冬季休耕期生长在田间地头的杂草，早春时节会在春光中开出紫红色的花朵。宝盖草的花朵

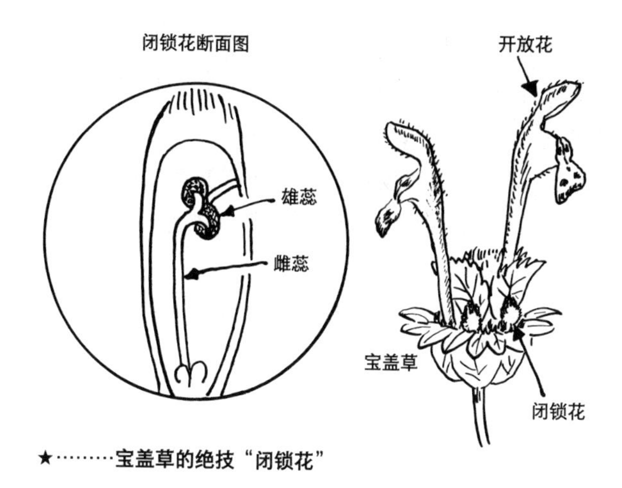

★………宝盖草的绝技“闭锁花”

就像双手举起扇子的能剧演员，看上去十分高雅。花筒的长度在1厘米以上，只有嘴巴很长的昆虫才能吃到其中的花蜜。

1998年，我跟随电视台的节目组去千叶县的馆山取材时，看到有蜜蜂在宝盖草的花朵之间飞来飞去。因为鲜少有昆虫到访这种花，于是我急忙拿起相机凑了过去，却发现这些花朵早已凋零，蜜蜂只是在舔舐残留在萼片上的花蜜而已。取材归来之后，我翻开观察笔记，发现以前也记录过一次到访这种花朵的昆虫。那是一条40年前的记录，上面写着“白纹长须蜂来吸食花蜜”。但当时的场景我已经完全回忆不起来了。

即便没有昆虫到访，宝盖草也有保证自己繁衍下去的绝技，那就是闭锁花。在宝盖草花茎的前端会长出好几个花蕾，其中有圆形的花蕾，也有稍微扁一些的花蕾，后者就是闭锁花。将长度只有3毫米的闭锁花纵向切开后可以发现，雄蕊和雌蕊在其中呈“S”形纠缠在一起，雌蕊的前端正好插在雄蕊产出的橘红色花粉之中。

这些闭锁花能够产出足够的种子让宝盖草繁衍下去。

后记

筛选昆虫的花朵、欺骗昆虫的花朵、借助风的特性散播花粉的花朵、专心产生种子的花朵。花朵的这些结构和功能都是因为自己身处的环境以及与周围生物之间的竞争才进化出来的，植物也是这样不断地繁衍生息直到今天。

花朵身处多样的环境之中，即便面对相同的昆虫与现象，也只能根据祖先拥有的特性循序渐进地进化，所以不同花朵的授粉机制也有很大的差异。我之所以坚持调查花朵的生态，也是因为每次观察花朵时都会发现全新的现象，这让我很感兴趣，希望能搞清楚究竟是怎么回事。

我希望能够将花朵展现出来的生命现象的有趣之处传达给更多的人，因此创作了本书。如果大家在看到花朵的时候，除了“好漂亮、真可爱”之外，还能发出“了不起、真神奇”的赞叹，那么本书的目的也就达到了。如果大家在看完本书之后，还能亲自到公园或者山林之中观察花朵的神奇之处，那将是我最大的荣幸。

最后，向大胆支持我使用插图而非照片来完成本书的讲谈社生活文化局的林重见先生表示感谢。向一直为我的研究提供支援的各位老师，以及通过文献让我学到很多知识的老师们致以最诚挚的谢意。本来我应该将老师们的名字逐一列举出来表示感谢，但很多老师的名字我已经在正文中有所提及，而且直接将名字印刷出来可能会给读者们留下生硬的印象，背离本书寓教于乐的初衷。但我在写这篇后记时，心中一直在回忆着每一位老师的帮助，请允许我再一次由衷地表示感谢。

2001年初夏
田中肇

<附录>

田中肇40年间未曾改变的野外观察造型

<附录>

双肩背包里的物品全部公开！！

<附录>

花朵与昆虫尔虞我诈的技术（其一）

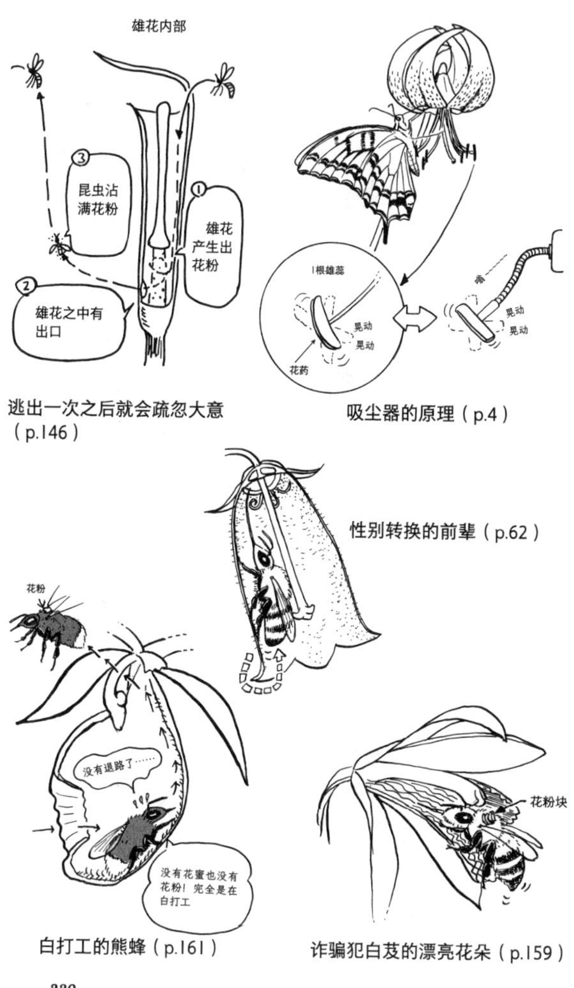

逃出一次之后就会疏忽大意（p.146）

吸尘器的原理（p.4）

性别转换的前辈（p.62）

白打工的熊蜂（p.161）

诈骗犯白芨的漂亮花朵（p.159）

<附录>

花朵与昆虫尔虞我诈的技术（其二）

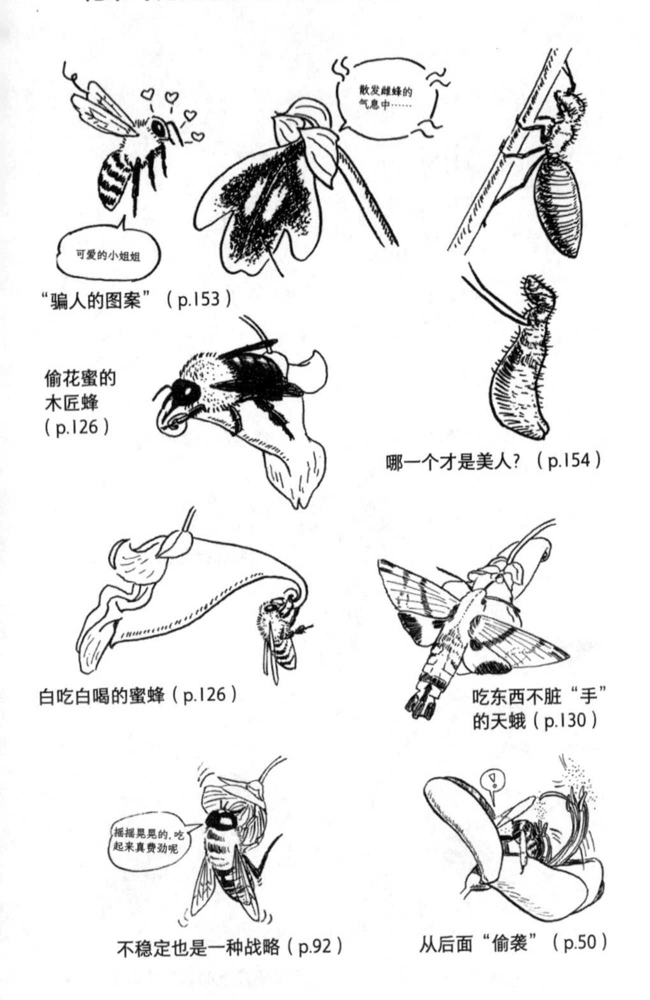

“骗人的图案”（p.153）

偷花蜜的木匠蜂（p.126）

哪一个才是美人？（p.154）

白吃白喝的蜜蜂（p.126）

吃东西不脏“手”的天蛾（p.130）

不稳定也是一种战略（p.92）

从后面“偷袭”（p.50）

文库本后记

本书的原书是2001年讲谈社出版的《花朵与昆虫尔虞我诈的发现记》。虽然距离该书绝版已经过了19年，但在多田多惠子老师的推荐和永田士郎编辑的鼎力支持下，以筑摩书房“筑摩文库”的形式再次面世。

本书根据时代的发展与变化，对原书中的一些内容进行了修改，将时间表述也统一修改为公历年份。

现在回忆起来，在花朵生态学严重衰退的20世纪60年代，我只用放大镜和笔记本，就在开始观察之后的很短时间内接触到了一个研究领域的最前沿。这受益于当时那个时代花朵生态学的研究停滞不前，以及我作为业余研究者的幸运。而现在的花朵生态学虽然已经发展到了不通过DNA分析考察就无法发表论文的程度，但仅日本就有5000余种植物，即便是业余爱好者使用放大镜和笔记本进行观察，一样也能获得全新的发现。这些发现不一定要为花朵生态学的发展提供帮助，只要能够在大自然之中享受发现的乐趣就好。如果诸位读者在看完本书之后能够亲自去野外对植物进行观察，将是我最大的荣幸。

2020年立春

田中肇

小开本 CQSTπ N
轻松读文库

产品经理：姜　文
视觉统筹：马仕睿 @typo_d
印制统筹：赵路江
美术编辑：梁健平
版权统筹：李晓苏
营销统筹：好同学

豆瓣 / 微博 / 小红书 / 公众号
搜索「轻读文库」

mail@qingduwenku.com